임팩트 투자, 투자의 미래

BOOK
JOURNALISM

임팩트 투자, 투자의 미래

발행일 ; 제1판 제1쇄 2019년 1월 28일 제1판 제4쇄 2023년 7월 17일
지은이 ; 이철영·임창규 발행인·편집인 ; 이연대
CCO ; 신아람 에디터 ; 김하나
디자인 ; 권순문 지원 ; 유지혜 고문 ; 손현우
펴낸곳 ; ㈜스리체어스 _ 서울시 중구 한강대로 416 13층
전화 ; 02 396 6266 팩스 ; 070 8627 6266
이메일 ; hello@bookjournalism.com
홈페이지 ; www.bookjournalism.com
출판등록 ; 2014년 6월 25일 제300 2014 81호
ISBN ; 979 11 86984 80 2 03300

북저널리즘은 환경 피해를 줄이기 위해
폐지를 배합해 만든 재생 용지 그린라이트를 사용합니다.

BOOK
JOURNALISM

임팩트 투자, 투자의 미래

이철영 · 임창규

; 임팩트 투자는 사회적 가치 창출이라는 목적의
식을 명확하게 설정하고 이뤄지는 투자다. 임팩
트투자는 부가성에 대한 투자이기도 하다. 부가
성은 기업이나 투자자의 활동으로 부가적인 사
회 가치가 창출되었느냐는 질문에 대한 답이다.
이는 결국 혁신에 관한 질문이라고 할 수 있다.
사업과 투자를 통해 새로운 시장이 열리고 사회
의 변화를 일으킬 수 있느냐 하는 것이다.

차례

프롤로그(1)   Doing Good, Doing Well

2017년, 본격적인 임팩트 투자impact investing를 시작할 때 바탕이
된 것은 앞선 두 기간의 경험이었다. 삼보증권에서 사회생활
을 시작한 이후 바슈롬Bausch & Lomb코리아의 경영을 접을 때까
지의 30년과 아크ARK 사모펀드 운용사의 설립, 소셜 엔터프라
이즈 네트워크SEN·Social Enterprise Network 활동에 이르는 15년이다.
첫 30년의 경험이 사회 책임 투자SRI·Socially Responsible Investing를 시
작한 배경이 되었고, 이후 15년간 이어진 소셜 앙트러프러너
십social entrepreneurship에 대한 관심이 임팩트 투자로 연결되었다.

MBA 공부를 마친 후 입사한 삼보증권 시절에는 상장된
회사가 주식이라는 종이쪽지로 잘게 쪼개져 거래되는 현장을
보았다. 증권 회사는 산업 자본을 조달하고, 국민이 기업 활동
에 참여하도록 돕는 역할을 한다. 그러나 투자자들은 투자하는
회사가 식품 회사인지 건설 회사인지 별 관심이 없었다. 나도
그랬다. 관심사는 종이쪽지 거래에서 생기는 매매 차익이었다.

삼보의 경영층이 사업의 사회적 가치, 의미에 좀 더 진
지한 관심이 있었다면 증권계 1등 자리에 연연해 단기 실적
에 지나치게 매달리지는 않았을 것이다. 어처구니없는 회계
스캔들로 회사가 동양증권(후 대우증권)에 합병되지도 않았
을 것이다. 당시 경영진의 도전 정신을 지금도 존경하지만,
회사가 새로운 방향으로 나아가도록 역할을 하지 못했던 것
은 후회로 남아 있다.

삼보를 떠나 첫 사업으로 시작한 컴퓨터 부품 제조업에서 실패한 후 재기를 위해 노력하던 때였다. 미국의 친구로부터 연락을 받았다. 다국적 회사 바슈롬의 아시아 지역 사장이 된 친구의 제안으로 콘택트렌즈 사업의 한국 총판을 맡게 되었다. 한국 판매가 호조를 보이자 본사가 지분을 투자했고 내가 경영하던 총판 회사는 합작 기업이 되었다. 바슈롬코리아 합작 회사는 생산과 판매 모두에서 성공을 거뒀다. 충북 음성에 공장을 세워 수출까지 하게 되었다.

바슈롬은 당시 경제 잡지《포춘Fortune》이 선정하는 500개 대기업 '포춘 500'에도 이름을 올릴 만큼 상승세였다. 그러나 사업적 성공에 집중하는 사이, '고객의 건강한 눈'이라는 사명은 뒷전으로 밀려난 것 같았다. 바슈롬 본사 연차 보고서에는 "회사의 사명은 전 세계인의 눈 건강 관리"라고 쓰여 있었다. 그러나 한국 법인은 물론 미국 본사에서도 그 사명에 신경 쓰는 사람은 없었다.

결국 업계의 패러다임을 전환할 중대한 사업 기회를 놓치는 일이 벌어졌다. 당시 폴란드의 한 기술자가 일회용 렌즈 제조 신기술을 팔겠다고 미국 본사에 제안해 왔다. 세척해서 소독하고 보관하면서 1년간 사용하던 콘택트렌즈를 매일 하나씩 쓰고 버리는 형태로 바꾸는 혁신적인 신기술이었다. 그러나 본사는 제안을 거절했다.

고객 입장에서는 매일 깨끗한 새 렌즈를 사용할 수 있어 회사의 사명에 부합하는 데다, 사업 타당성도 있는 제안을 왜 거절했을까? 새로운 기술의 도입이 회사의 단기적 이익에 미치는 영향, 이로 인한 주가 하락 우려 때문이었을 것이다. 이익이 많이 나고 있는 상황에서 불확실한 길을 택할 이유가 없다는 것이었다. 고객의 눈 건강에 도움을 준다는 핵심 가치에 집중했더라면 당연히 사들였어야 할 혁신적 기술을 눈앞의 이익을 좇다 놓친 셈이다.

결국 콘택트렌즈 사업을 전혀 하지 않고 있었던, 그래서 지켜야 할 이익도 없었던 존슨 앤드 존슨Johnson & Johnson이 일회용 렌즈 기술을 사들여 크게 성공했다. 바슈롬의 콘택트렌즈 세계 시장 점유율은 70퍼센트 수준에서 10퍼센트 이하로 추락하고 말았다. 그 과정에서 본사는 한국 합작 회사의 내 지분을 사고 싶다는 의사를 전해 왔다. 그렇게 해서라도 단기 실적을 맞추고 주가를 유지하려는 것이었다. 나는 대표 이사직에서 물러나 1998년부터 2002년까지 공동 회장직을 맡으며 두 차례에 걸쳐 지분을 매각했다.

그리고 2003년, 아크 투자 자문(현 아크 임팩트 자산 운용)을 창업했다. 사회 책임 투자의 기치는 앞선 두 시기의 경험에서 나왔다. 특히 바슈롬에서의 경험을 통해 혁신이 회사의 중요한 사회적 책임 가운데 하나라는 사실을 배웠다.

미국에서의 경험도 계기가 되었다. 2004년 뉴욕 컬럼비아대학교에서 열린 글로벌 소셜 벤처 대회GSVC·Global Social Venture Competition를 참관했을 때의 일이다. 대회 현수막에 쓰인 'Doing Good, Doing Well'이란 글귀가 내 눈을 사로잡았다. '사회에 좋은 일을 하면 돈도 잘 벌 수 있다. 그러니 사회적 가치와 재무적 가치를 통합하는 길로 가라'는 취지로 다가왔다. '남 좋은 일을 하면 돈을 못 번다'는 일반적인 상식에 배치되는 말이었다.

뉴욕에서 접한 메시지를 바탕으로 2005년 한국 소셜 벤처 대회SVCK·Social Venture Competition Korea 운영 위원회를 발족하고, 2006년 1회 대회를 개최했다. 아크는 후원사로 참여했다. 2010년에는 SVCK가 아시아 소셜 벤처 대회SVCA·Social Venture Competition Asia로, 대회 운영위원회는 소셜 엔터프라이즈 네트워크SEN로 확대 개편되었다. SEN은 대학생들이 소셜 엔터프라이즈를 공부하고, 사명과 능력을 갖춘 지도자로 성장하도록 돕고 있다.

한국 교육계에서도 관심을 보였다. 2010년 여름 숙명여자대학교 글로벌서비스학부에서 소셜 앙트러프러너십 강좌 개설을 제안해 왔다. 뉴욕에서 만나 친구가 된 레이 호튼Ray Horton 컬럼비아대 경영대학원 교수는 도움을 요청하는 나를 뉴욕으로 초대했다. 이 학교 소셜 엔터프라이즈 프로그램

창설자이기도 한 호튼 교수는 컬럼비아대 경영대학원의 소셜 엔터프라이즈, 임팩트 투자 분야 교수 다섯 명과 하루에 한두 시간씩 열흘간의 미팅을 주선해 주었다. 그 가운데에는 임팩트 투자라는 용어를 만든 록펠러 재단의 임팩트 투자 책임자 앤터니 버그 레빈Antony Bugg-Levine도 있었다. 이러한 과정을 거쳐 2011년 숙명여대에 소셜 앙트러프러너십 강좌가 정식으로 개설되었다. 같은 해에는 한국 최초의 '임팩트 투자 세미나'도 열었다.

기업 경영의 현장에서 배운 혁신의 중요성, 학계 전문가들과의 만남으로 확신하게 된 혁신 기업의 사회적 가치는 나를 임팩트 투자에 뛰어들게 만들었다. 글로벌 임팩트 투자자 단체인 진GIIN·Global Impact Investing Network의 보고서는 나의 확신에 힘을 더해 주었다. 2016년 보고서는 "임팩트 투자는 더 이상 유아기가 아니다", "임팩트 투자는 주식, 부동산 같은 전통적인 투자 방식과 수익률에서도 경쟁을 하게 되었다"고 밝히고 있었다.

2016년 말, 아크 이사회는 임팩트 투자 개시 결정을 내렸다. 그리고 펀드의 구성과 운용을 위한 몇 가지 원칙을 세웠다.

① 세계 최고의 파트너 ; 해당 분야의 전문성, 경력, 경영 능력이 최고인 사업 파트너를 전 세계적으로 찾아 장기 투자한다.

정직성과 성실성을 필수 요건으로 한다.

② 듀 딜리전스(due diligence) ; 사업 내용 및 재무와 임팩트 분석, 법률적 검토, 경영층 면담, 공동 투자자 확인, 현장 검증에는 예외가 없다.

③ 투자 수익률 ; 주식 투자를 능가하는 투자 수익률을 내고 매년 배당을 지급한다.

④ 글로벌-로컬의 연계 : 장기적으로 글로벌 전문성을 한국에 소개하고, 한국의 투자 기회를 세계에 연결한다. 해외와 국내의 사회적 필요를 서로 연계해서 해결한다.

⑤ 생태계 기여 ; 국내외 임팩트 투자 생태계에 기여한다. 대학생 연합 임팩트 투자 클럽을 지도하고, 임팩트 교육 프로그램을 지원한다.

아크는 위와 같은 다섯 가지 원칙하에 조사를 거쳐 네 가지 테마, 일곱 개 투자처에 총 2000만 달러(225억 원)를 투자했다. 투자자 모집을 위한 미팅이나 설명회에서 투자자들은 열띤 호응을 보냈다. 그러나 사회에 좋은 일을 하는 것으로 돈을 벌 수 있다는 새로운 생각을 받아들이는 데에는 시간이 걸릴 것이라는 생각도 들었다.

아크의 사명은 임팩트 투자를 통해 '사회에 좋은 일 하며Doing Good, 이익도 잘 낸다Doing Well'라는 가치 통합blended value

의 생각을 실천하고 전파하는 것이다. 미래에는 모든 투자가 임팩트 투자가 될 것이다. 그 미래를 오늘 이곳에서 먼저 실현해 보려 한다.

삼보증권에서 시작한 45년간의 경험과 노력이 이제 임팩트 투자라는 종착역이자 새로운 출발점으로 모이는 것 같아서 기쁘다. 보이지 않는 손의 인도에 감사한다.

이철영

프롤로그(2)　　　　추의 궤도 중앙에 서다

1990년 경제학 석사를 마치고 삼성경제연구소에 입사했다. 20대 중반을 갓 넘은 나이에 지금이라면 입사 원서를 낼 용기도 없었을 것 같은 대기업 경제 연구소에 입사하면서 앞길이 창창하게 열리는 것 같았다. 그런데 무슨 바람이 불었는지, 나는 직장에 휴직계를 냈다. 아내를 설득해 돌쟁이 첫째를 데리고 캐나다 토론토로 신학 공부 길에 올랐다. 신학을 공부한다고 신앙이 깊어지는 것이 아님을 2년 공부가 끝날 즈음에 깨닫고 돌아왔을 때가 1994년이었다.

삼성경제연구소에 복직해 일을 시작했지만, 지루했다. 경제와 시장의 데이터만 쳐다보는 일에 답답함을 느꼈고 시장이라는 현장을 보고 싶었다. 마침 삼성생명의 주식 운용 본부에서 이코노미스트를 찾고 있다는 소식에 얼른 손을 들었다. IMF 금융 위기라 불리는 아시아 외환 위기 바로 1년 전이었다. 자본 시장 초년생인 나는 선배들도 겪어 보지 못한 금융 위기에 국가 부도 사태까지 겪으면서 호된 신고식을 치렀다. 그리고 삼성생명이 자회사로 인수한 삼성자산운용으로 이직했다. 펀드 매니저로 일을 하다 글로벌 운용 본부로 옮겨 세계 시장에서 뛰었다.

그리고 2008년 글로벌 금융 위기가 터졌다. 금융 위기가 해외 펀드 사업에 초래한 문제들을 수습하는 일은 쉽지 않았다. 10여 년 전에 겪었던 아시아 외환 위기와는 사뭇 달랐다. 고삐 풀린 자본주의의 사악함과 인간 탐욕의 민낯을 마주하면서 금융 시장판 성 어거스틴의 《참회록》이 필요하다는 생각까지 했다. 금융 위기의 태풍으로 해외 펀드 운용 자산은 급속히 줄어들었다. 그룹 차원에서 구조 조정의 여파가 밀려왔고 많은 사람들이 회사를 떠났다. 나도 그들 중 하나였던 것은 그리 이상할 일이 아니었다.

자본주의의 추악함을 다시 마주하고 싶지 않다는 생각이 들었다. 그러나 경제, 금융 분야에서만 20여 년을 일한 나로서는 다른 선택지가 없을 것 같았다. 선한 투자, 선한 자본이라는 것이 있을까. 그 옛날 신학을 공부하겠다며 회사를 떠났던 때처럼 고민이 깊어졌다. 답이 없을 것 같다는 생각에 포기하려던 때, 운명처럼 다른 길이 내 눈앞에 펼쳐졌다.

바로 사회 투자였다. 서울시 사회 투자 기금의 운영을 맡은 재단 법인 한국사회투자에서 기금 융자 사업을 맡을 사무국장을 찾는다는 소식이었다. 투자라는 방법으로 사회적 가치를 만들어 낸다는 사회 투자의 개념은 기존 자본 시장의 어두운 면에 회의감을 가진 내게 신선한 충격으로 다가왔다. 무엇보다 투자하는 직업에서 보람을 찾을 수 있다는 사실이 투자사의 절반도 안 되는 연봉을 받아들이게 했다.

전혀 새로운 영역에서 전혀 새로운 사람들을 만났다. 사회적 기업, 협동조합, 마을 기업 등 그동안 존재하는 줄도 몰

랐던 사회적 경제와 그 주체들을 접했다. 그러나 사회 투자 기금 융자는 대부분 금리가 2퍼센트 수준에 불과했다. 중간 지원 조직을 경유해서 나갈 경우에는 4퍼센트까지 올라가지만 신청 기업들의 신용 수준을 감안한다면 상당히 낮은 수준이다. 다시 말해 금리 산정 과정에서 비즈니스 리스크를 반영하지 않는다는 것이다. 상환 가능성이 있고, 사회적 가치 창출이 뚜렷하다고 판단되는 기업이라면 일률적으로 금리를 적용하고 있었다.

사회 투자 기금 융자 사업에 신청을 해오는 사회적 경제 기업들 중에서 재무적으로 탄탄한 업체들을 만나기가 쉽지 않았다. 원금 상환 능력이 충분하다 하더라도 사회적 경제 기업 융자 사업을 통해 경쟁력 있는 시장 수익률을 추구한다는 것은 불가능해 보였다. 자본주의의 어두운 그림자에 염증을 느껴 이 분야로 넘어오긴 했지만, 시장 수익률을 추구하기 어려운 임팩트 우선 사회 투자도 아쉬웠다. 임팩트를 만들어 내는 투자는 자본 시장에는 어울리지 않는 것인가? 수익과 임팩트를 양쪽 끝에 두고 그리는 추의 궤도, 그 중앙에는 진정설 자리가 없는 걸까?

사회적 경제에 대한 더 깊은 공부의 필요성을 느꼈다. 재단을 떠나 성공회대학교의 협동조합 경영학과 박사 과정에 입학했다. 전 세계적으로 사회적 경제의 커다란 부분을 차지하는 국내외 협동조합, 양적·질적 방법론 공부는 매우 흥미로웠다.

박사 2년 차를 앞둔 2017년 또 한 번의 운명을 만났다. 아크 투자 자문의 이철영 회장으로부터의 전화였다. 10여 년 전에 관여했던 가나난포럼Gananan Forum에 사회 책임 투자 연사로 초청한 것이 인연이 되어 가끔 우연한 자리에서 만나면 서로 인사하고 안부를 묻던 분의 갑작스런 연락이었다. 아크 투자 자문이 임팩트 투자로의 새로운 여정을 시작하려고 하는데 관심이 있느냐는 것이었다.

관심은 있었지만 자본 시장에 소속된 전문 운용 회사가 그 치열한 시장에서 임팩트 투자로 성공할 수 있을지 의문이었다. 이 회장은 글로벌 임팩트 투자 네트워크인 토닉Toniic의 콘퍼런스에 참여해 보고 다른 지역의 임팩트 투자자와 임팩트 자산 운용사들을 만나 보자고 제안했다. 가슴 뛰는 계획이었다. 그해 4월 우리는 임팩트 비전 트립을 통해, 임팩트를 만들어 내는 것이 양호한 투자 수익으로 연결되는 투자 기회가 세상 곳곳에 존재하고 있음을 눈으로 확인했다. 새로운 세상을 발견한 것이다. 사회적, 환경적 가치를 만들어 내기 위해 투자 수익을 포기하지 않아도 된다는 것은 대단한 위안이었다. 마침내 수익률과 임팩트 사이를 오가는 추의 궤도 중앙에 설 수 있음을 확인한 것이다. 시장 기능과 혁신이 개입되면 그 둘은 상쇄 관계trade off가 아니라 상승 관계trade up가 될 수 있음을 여러 증거를 통해 확인할 수 있었다.

　　이 책은 바로 그 상승 관계에 관한 이야기다. 한국의 치열한 자본 시장에서 임팩트 투자로 출사표를 던진 사람들의 이야기다. 타락한 자본주의의 전령처럼 여겨지는 투자가 아니라, 책임 있는 자본주의로서의 투자를 말하고 싶었다. 시장으로 혁신과 변화를 만들 수 있다는 희망의 메시지가 전달된다면 좋겠다.

　　　　　　　　　　　　　　　　　　　　　　임창규

어디에 투자하는가

시민 혁명과 제3의 섹터

1979년 한국의 독재 정권이 무너졌고, 1989년 베를린 장벽이 무너졌다. 1991년에는 소비에트 연방이 해체됐다. 절대 빈곤에서의 탈출, 소득 수준의 향상, 부의 양극화에 대한 문제 제기, 인권에 대한 인식, 환경 파괴와 오염에 대한 우려, 인터넷의 보급, 세계화와 민주화의 진전이 비슷한 시기에 이루어졌다.

선후 관계를 정확히 따지기는 어렵지만, 이러한 사회의 변화는 시민의 의식에 큰 영향을 미쳤다. 정부가 인권을 보호하기보다 탄압하고, 대기업이 환경을 개선하기보다 파괴하고 있다는 것을 깨달은 시민들은 직접 문제 해결에 나섰다. 그 결과로 1970~1980년대 전 세계에서는 비정부 기구NGO, 비영리 기구NPO로 불리는 시민 단체가 급증했다. 유럽과 미국, 남미에 각각 100만 개, 인도에 200만 개가 설립됐고, 한국에서도 2만 개가 만들어졌다. 종교 단체나 자선 단체부터 인권 단체, 사회사업 단체, 예술 단체, 정치 단체, 환경 단체 등으로 분야도 다양했다. 가히 폭발적인 시민 혁명이라고 할 만한 시기였다.

이제 사회에는 정부가 담당하는 퍼블릭 섹터와 대기업의 비즈니스 섹터 이외에 제3의 섹터로서 시민의 영역이 형성되었다.[1]

시장으로 사회적 문제를 해결하라

수많은 시민 단체 중에서도 독특한 단체들이 있었다. 이들은 다른 시민 단체와 마찬가지로 정부나 대기업이 해결에 실패한, 혹은 소홀히 하고 있는 사회적 문제에 집중하면서 해결의 동력으로 시장을 활용했다. 사회 변화를 추구하는 혁신가들의 네트워크인 아쇼카Ashoka 재단 설립자 빌 드레이튼Bill Drayton은 이들을 사회적 기업가social entrepreneur라고 불렀다.[2]

사회적 기업가는 동양과 서양, 개발 도상국과 선진국 가릴 것 없이, 사회 문제가 있는 곳이라면 어디에나 등장한다. 방글라데시의 가난한 여성들에게 무담보 소액 대출micro finance 사업을 벌인 무하마드 유누스Muhammad Yunus 박사는 사회적 기업가의 대표적인 예다. 방글라데시에서 경제학 교수로 일했던 그는 1983년 그라민 은행Grameen Bank을 창업했는데, 이 은행은 빈곤층 여성 900만 명에게 담보 없이 소액의 돈을 대출해 주었다. 여성들은 그 돈으로 작은 사업을 시작하여 새로운 인생을 시작할 수 있었다. 대출받은 여성 대부분은 원금과 이자를 갚았다.[3]

미국의 영화배우 로버트 레드포드Robert Redford 역시 사회적 기업가다. 로버트 레드포드는 영화《내일을 향해 쏴라 Butch Cassidy And The Sundance Kid》의 수익으로 독립 영화 연구소 선댄스 인스티튜트Sundance Institute를 설립했다. 선댄스 인스티튜트는 폭력, 섹스가 난무하는 할리우드의 상업적 영화 문화에 대항해 대중 예술의 다양성을 키우고 재능 있는 신진 영화인들을 발굴하는 역할을 자임했다. 연구소가 주최하는 선댄스 영화제Sundance Film Festival는 영화인들과 데뷔를 꿈꾸는 지망생들이 관객과 만나는 창구로 자리 잡았다.[4]

적정 기술 분야의 대부인 폴 폴락Paul Polak은 23년의 정신과 의사 경력을 뒤로하고 세계 각지의 빈곤 국가를 돕는 실용 기술을 개발하고 있다. 해당 지역의 경제적, 문화적 조건에 적합한 적정 기술을 보급하는 국제개발기업IDE·International Development Enterprises을 설립해 많은 사람들이 가난에서 벗어날 수 있도록 돕고 있다. IDE가 개발한 25달러(2만 8000원)짜리 페달 펌프, 최저 3달러(3400원)짜리 관개 시스템은 1900만 명 농부들의 삶을 바꿔 놓았다.[5]

1980년대 사회적 기업가들이 창업, 운영한 소셜 엔터프라이즈는 비영리였다. 대부분 무상으로 재정을 투입했고 투자라기보다는 박애philanthropy의 영역에 있었다. 폴 폴락의 IDE는 마이크로소프트 창업자 빌 게이츠Bill Gates가 이끄는 빌 앤드 멜린다 게이츠Bill & Melinda Gates 재단에서 4000만 달러(450억 원)가 넘는 무상 지원금을 받았다. 대가 없는 지원은 투자와는 성격이 다르다. 투자는 원금을 회수하는 것은 물론 추가적인 수익까지 기대하기 때문이다.

비즈니스로 좋은 세상을 만들다

소셜 엔터프라이즈는 사회의 변화를 위해 직접적인 액션을 취한다는 점에서 간접적 활동을 벌이는 사회 운동과는 다르다. 소셜 엔터프라이즈는 '비즈니스를 통해 좋은 세상을 만든다'는 목표로 운영되는 사업체다. 환경적 가치를 포함한 사회적 가치와 재무적 가치를 함께 추구하는 가치 통합의 방식이다. 소셜 엔터프라이즈는 크게 사회 서비스형과 사회 혁신형으로 나눌 수 있다. 사회 서비스형은 사회적 고통의 경감을, 사회 혁신형은 사회적 고통의 제거를 목적으로 한다.

사회 서비스형은 사회 취약 계층에 일자리를 제공한다. 무조건적 지원이 아니라 일을 해서 돈을 벌 수 있는 기회를 주고자 한다. 사회 서비스형의 모범적인 예로는 사회 복지 법인 레인보우를 들 수 있다. 레인보우는 중증 지적 장애인 50명을 고용해 서울 근교 공장에서 과자를 생산, 판매한다. 사업 활동을 통해 장애인의 삶의 질을 개선하는 것이 사업의 목적이다.

우리나라에서는 2007년 제정된 사회적 기업 육성법에 따라 인증받은 사회적 기업이 일정 기간 인건비 보조금을 지원받는다. 사회 서비스형은 사회적 필요를 충족시킨다는 점에서 가치가 있다. 다만 재무적 수익은 제한적이다.

레인보우를 예로 들면, 중증 장애인 고용이라는 사회적

가치와 과자 생산 판매에 대해 생산 판매적 분류 무적 수익은 유기적

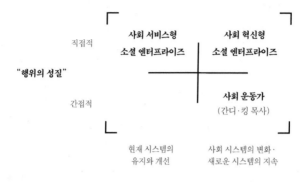

<table>
<tr><td></td><td>사회 서비스형
소셜 엔터프라이즈</td><td>사회 혁신형
소셜 엔터프라이즈</td></tr>
</table>

직접적   **사회 서비스형**   **사회 혁신형**
    소셜 엔터프라이즈   **소셜 엔터프라이즈**

"행위의 성질"

간접적   **사회 운동가**
(간디·킹 목사)

현재 시스템의   사회 시스템의 변화·
유지와 개선   새로운 시스템의 지속

"사회적 목적"

* Roger Martin, Sally Osberg, 〈Social Entrepreneurship: The Case for Definition〉, Stanford Social Innovation Review, Spring 2007.

으로 통합되어 있지 않다. 레인보우의 과자는 과자로서 시장에서 판매될 뿐, 장애인이 만든 과자이기 때문에 판매되는 것은 아니다. 장애인의 고용이 사업 이익의 원천이 아닌 것이다. 결국 레인보우의 비즈니스 모델은 시장에서 복제replicable, 확장scalable, 지속sustainable 가능한 형태가 되기에는 한계가 있다.

그러나 사회 서비스형 기업은 혁신형 소셜 엔터프라이즈로 발전할 토양이 되기도 한다. 사회 서비스가 혁신형 소셜 엔터프라이즈로 발전한 전통적 사례가 나이팅게일Nightingale의

간호 혁명이다. 열악한 환경에서 환자들을 돌봐야 했던 영국의 여성 노동자들은 나이팅게일의 간호 혁명으로 현대의 전문직 간호사가 되었다. 혁신을 통해 간호학이라는 새로운 사회 시스템을 만들어 낸 것이다. 나이팅게일이 세운 현대적 간호 학교 시스템은 전 세계적으로 복제되고 확장되었고 여전히 지속 가능하다.

사회 서비스형에 혁신을 도입한 대표적 사례로 프랑스의 '그룹Groupe SOS'를 들 수 있다. 그룹 SOS는 사회 서비스와 혁신이 결합한 하이브리드형 소셜 엔터프라이즈의 성공 모델을 보여 준다. 1984년 설립된 이후 지금까지 수십 년에 걸쳐 보건, 주택, 실업, 아동 권익과 교육부터 지속 가능 발전 및 공정 무역에 이르기까지 다양한 사회적 이슈들을 해결하기 위해 혁신적이고 효과적인 비즈니스 모델을 개발해 왔다. 그룹 SOS의 사업은 청소년, 고용, 보건, 사회 연대, 노인 복지의 다섯 부문으로 나뉜다. 현재 1만 명이 넘는 종업원, 100만 명 이상의 수혜자, 7억 5000만 달러(8445억 원)의 연 매출, 44개의 계열사, 국내외 300개의 시설을 보유한 소셜 엔터프라이즈 집단으로 성장했다.

그룹 SOS는 사회적 이슈를 해결하는 과정에서 불필요한 비용 구조를 찾아내고 절감해 부wealth를 창출하고, 이를 다시 사회적 투자로 전환하는 혁신적 방법을 개발해 왔다. 급여 격차의 통제, 주주 이익의 배제, 이익의 재투자라는 새로운 사업체 경영 방식으로 강력한 사회적 임팩트를 일으키는 동시에 영속적인 경제 활동이 가능한 견실한 사회적 기관을 만들어 냈다.

그룹 SOS에는 그룹에 속한 청년 또는 사회 소외 계층을 고용하여 일자리를 창출하는 고용 통합형 소셜 엔터프라이즈 Work Integration Social Enterprise, 와이즈WISE가 있다. 이벤트 홀을 운영하는 뤼진L'Usine, 공정 무역 식자재를 사용하는 사회적 케이터링 업체인 테 트레퇴르 에티크Té Traiteur Ethique, 그리고 공정 무역 상품 매장인 알테르문디Altermundi 등이다.

사회 서비스형 또는 하이브리드형 소셜 엔터프라이즈에 대한 투자는 재무적 수익보다는 사회적 가치에 대한 지지를 목표로 한다. 이러한 투자를 임팩트 우선impact first 투자로 분류할 수 있다.

반면 사회 혁신형 소셜 엔터프라이즈는 사회 변화를 위해 시장의 힘을 활용한다. 창업 단계의 사회 혁신형 소셜 엔터프라이즈를 소셜 벤처라고 부른다. 취약 계층을 고용하는 형태의 사회 서비스형 소셜 엔터프라이즈가 생선 잡는 법을 알려 주는 식이라면, 소셜 벤처는 생선 잡는 방법의 교습을 넘어 수산업 전체를 바꾸는 것을 목표로 삼는다. 사회 문제의 뿌리를 제거해서 사회의 고통을 근본적으로 해결하려는 것이 이들의 비전이다.

방글라데시의 유누스 박사가 창업한 그라민 은행의 무담보 소액 대출 사업은 금융 분야의 혁신형 소셜 엔터프라이즈다. 이 사업에서는 재무적 수익을 일으키는 소액 대출 사업과 사회적 수익인 여성의 빈곤 탈출이 유기적으로 관계를 맺고 있다. 그라민 은행의 소액 대출 사업 모델은 전 세계적으로 복제되고 확장되었다. 그라민 은행은 비영리 기구로 출발했지만 각국으로 확산된 소액 대출 사업 대부분은 이익을 추구하는 기업 형태로 지속 가능하게 발전했다.

현대적인 혁신형 소셜 엔터프라이즈의 특징은 사회적 수익인 임팩트와 더불어 재무적 이익도 유기적으로 창출해 낸다는 것이다. 멕시코의 소액 대출 소셜 벤처인 콤파타모스Compartamos는 2007년 기업 공개IPO 당시 시가 총액이 15억 달러(1조 6890억 원)에 달했다. 투자자들은 13 대 1의 경쟁률을 뚫어야 이 회사 주식을 살 수 있었다. 1990년에 창업한 이 회사는 초기 10년간은 비영리 단체였는데, 이때 투자한 기관들은 투자 원금의 250배가 넘는 매매 차익을 올렸다.

아프리카 수단의 모바일 전화 서비스 소셜 벤처인 셀텔 아프리카Celtel Africa는 아프리카 주민들의 생활과 사업 방식을 바꿔 놓았다. 1998년 미국에서 엔지니어로 일하다 고향 수단으로 돌아온 모하메드 이브라힘Mohammed Ibrahim은 아무도 모바일 전화를 사용하지 않던 시기에 주민들의 생활 개선을 목표로 모바일 통신 사업을 시작했다. 미국과 유럽의 투자자 대부분이 이 회사의 사업 모델을 외면했지만, 런던의 벤처 캐피털 CDC는 2250만 달러(253억 원)를 투자했다. 셀텔 아프리카는 연 매출 10억 달러(1조 1260억 원) 이상의 사업체로 성장했고, 2005년 쿠웨이트의 모바일 기업 MTC에 34억 달러(3조 8284억 원)에 매각됐다. CDC는 보유하고 있던 지분 0.3퍼센트를 3억 달러(3378억 원)에 팔았다.[6]

콤파타모스와 셀텔의 성공을 두고 가난한 사람들을 상대로 엄청난 돈을 버는 것이 과연 옳은 일이냐는 비판도 제기됐다. 그러나 두 기업이 멕시코와 아프리카의 수많은 주민들에게 경제적 도움을 주었고 생활 개선이라는 큰 규모의 사회적 수익, 즉 임팩트를 창출해 냈다는 점에는 이견이 없다.

기업 공개 이후의 콤파타모스와 매각 이후의 셀텔이 창업 당시의 사회적 미션을 유지할 수 있을까 하는 의문도 있다. 그러나 두 기업 모두 사회적 가치와 재무적 이익이 통합되어 있어 주민 생활 개선이라는 사회적 가치를 무시한다면 수익도 하락할 수밖에 없는 사업 구조를 갖고 있다. 기업의 수익 창출을 위해서라도 사회적 미션을 유지해야 하는 것이다. 그래서 사회 혁신형 소셜 엔터프라이즈는 대부분 사회적 미션과 재무적 이익이 유기적으로 연계·통합되어 있다.

혁신형 소셜 엔터프라이즈 또는 소셜 벤처에 대한 투자

는 특정한 사회적 미션에 대한 투자로서, 재무적으로는 경쟁적 시장 수익률을 추구한다. 이러한 임팩트 투자를 테마 투자thematic investing로 분류한다.

사업과 사회의 올바른 관계

가치 통합 지도blended value map에서 사회적 수익과 재무적 수익을 양쪽 끝에 두고 두 가치의 통합 양상을 펼쳐 보면 가치 통합 스펙트럼blended value spectrum을 확인할 수 있다. 가치 통합 스펙트럼상의 여러 가지 사회 경제적 활동들과 그 활동의 주체들을 총칭하여 광의의 소셜 엔터프라이즈라고 한다. 광의의 소셜 엔터프라이즈는 사업과 사회의 올바른 관계에 관한 관점을 반영하고 있다.[7]

이러한 광의의 소셜 엔터프라이즈에는 기업의 사회적 책임CSR · 공유 가치 창출CSV[8], 소셜 앙트러프러너십과 소셜 벤처 · 소셜 엔터프라이즈, 환경과 에너지, 도시 재생, 건강과 바이오, 지구적 가난과 국제 개발 협력, 마을 기업 · 협동조합 등의 사회적 경제, 예술 · 문화 · 교육 · 공연, 전략적 사회사업strategic philanthropy, NGO · NPO의 경영과 지배 구조 등 가치 통합이 필요하고, 잘 적용되는 분야들이 포함된다.

하버드대학교 경영대학원의 소셜 엔터프라이즈 이니셔티브나 컬럼비아대 경영대학원의 소셜 엔터프라이즈 프로그램

에서 소셜 엔터프라이즈라천 통합지도광의로 쓰인다. 이들 경영

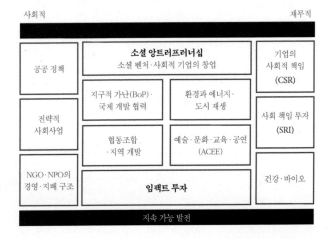

대학원에서 가르치는 소셜 엔터프라이즈 커리큘럼은 광의의
소셜 엔터프라이즈에 관한 것이다.

최근에는 초창기 소셜 벤처들이 중견 기업 또는 대기
업으로 성장하여 소액 금융 대출, 도시 재생, 환경과 에너지,
건강·바이오 분야 등에서 혁신을 통해 사회적 수익과 재무적
이익을 동시에 만들어 내고 있다. 이들에 대한 임팩트 투자는
테마 투자로 분류할 수 있다.

또 CSR, CSV가 기업의 핵심 전략에 통합되면서 상장 대

기업들도 소셜 엔터프라이즈로 변신하고 있다. 이에 따라 사회적 가치를 추구하는 상장 기업에 대한 투자인 사회 책임 투자도 임팩트 투자라는 큰 조류에 합류하고 있다.

투자의 주체

임팩트 투자를 실행하는 기관과 자금의 원천에 대해 GIIN이 전 세계 226개 회원 기관을 대상으로 실시한 〈2018 임팩트 투자자 조사〉[9]에 따르면, 임팩트 투자 기관들은 영리 펀드 운용 기관(46퍼센트), 비영리 펀드 운용 기관(13퍼센트), 재단(13퍼센트), 은행 등 금융 기관(6퍼센트), 가문 자산 관리 업체인 패밀리 오피스family office(4퍼센트), 연기금 보험(4퍼센트) 등으로 구성되어 있다.

자금 원천을 살펴보면, 전체 임팩트 투자 자산 중 59퍼센트를 운용하는 135개 기관이 밝힌 자금 원천에 고액 자산가가 포함되었다고 응답한 비율이 70퍼센트, 재단이 포함되었다고 응답한 비율이 65퍼센트, 은행이나 연기금 보험사가 포함되었다고 응답한 비율은 각각 49퍼센트, 44퍼센트다. 고액 자산가와 재단이 전문적인 임팩트 펀드 운용 기관에 자금을 위탁하는 경우가 많다는 의미다. 다음 도표는 임팩트 투자 대상과 투자 기관, 자금 원천의 관계를 보여 준다.

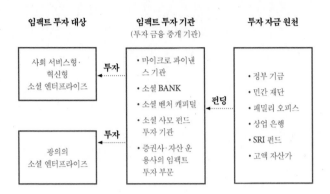

임팩트 투자 생태계

임팩트 투자 대상	임팩트 투자 기관 (투자 금융 중개 기관)	투자 자금 원천
사회 서비스형· 혁신형 소셜 엔터프라이즈	• 마이크로 파이낸 스 기관 • 소셜 BANK • 소셜 벤처 캐피털 • 소셜 사모 펀드 투자 기관 • 증권사·자산 운 용사의 임팩트 투자 부문	• 정부 기금 • 민간 재단 • 패밀리 오피스 • 상업 은행 • SRI 펀드 • 고액 자산가
광의의 소셜 엔터프라이즈		

투자 ← / 펀딩 ←

임팩트와 수익의 균형 ; 포드 재단의 실험

1960년대 미국 뉴욕의 5번가에는 아프리카계 예술가들의 작품을 전시해 온 낡은 할렘 스튜디오 미술관이 자리 잡고 있었다. 너무 오래되어 재생이 시급했던 이 미술관을 살리기 위해 도시 재생 보조금 80만 달러(9억 원)가 책정됐다. 문제는 선 개축, 후 지원을 조건으로 한 지원금이었다는 점이다. 건물을 다시 지을 자금이 없는 상태에서 개축을 전제로 한 지원금은 무용지물이었다.

1968년, 이미 80년 역사를 자랑하던 자선 재단인 포드 재단은 도시 재생 보조금을 담보로 미술관 개축 비용 105만 달러(11억 8230만 원)를 대출해 줬다. 포드 재단이 사회적 가치를 만들어 내는 사업에 기부나 보조금 지원이 아닌, 대출이라는 투자 방식을 활용한 첫 번째 사례였다. 재단의 자산에서 나오는 수익금의 일부를 기부하거나 기증하지 않고 저금리 대출, 주식 투자의 방식으로 제공하는 프로그램 연계 투자PRI·Program-Related Investment의 시작이었다. 기존의 자선 사업 분야에 투자한 뒤 투자금과 수익을 회수해 또 다른 사회사업에 투자하는 선순환 구조는 당시로선 획기적이었다.

PRI가 시작된 지 50년이 지난 2017년 4월 포드 재단은 또 하나의 획기적인 계획을 발표했다. 재단의 총자산 120억 달러(13조 5120억 원) 중 10억 달러(1조 1260억 원)를 향후 10년간 미션 연계 투자MRI·Mission-Related Investment로 돌리겠다는 것이다. 임팩트를 좀 더 우선하는 투자인 PRI에서 임팩트와 재무적 수익을 균형 있게 추구하는 MRI로의 이행을 선언한 것이다. 재단 자산에서 나오는 수익을 재원으로 하는 PRI와 달리, MRI는 재단 자체 자금을 재원으로 사용하기 때문에 지속 가능성을 위해서는 재무적 수익을 더 중요하게 고려할 수밖에 없다. 포드 재단의 이행 선언은 다른 재단들과 기관 투자자들에게 임팩트 투자의 시대가 도래했음을 알리는 신호탄이었다.

사회 투자 도매 금융 ; 빅 소사이어티 캐피털

포드 재단의 PRI와 같이 민간 재단이나 공적 기관의 기금이 목표로 하는 사회적 미션에 투자의 방식을 도입하는 것을 사회 투자social investment라고 부를 수 있다. 사회 투자라는 용어는 유럽, 특히 영국에서 발달된 개념으로 재무적 수익보다는 비재무적 가치 창출을 우선시하는 임팩트 우선 투자의 성격으로 출발했다. 초기에는 임팩트 투자와 사회 투자가 거의 동일한 의미로 사용되었지만, 임팩트 투자의 외연이 확장되면서 사회 투자는 임팩트 투자의 하위 개념으로 자리 잡게 되었다. 임팩트를 우선으로 하기 때문에 소셜 엔터프라이즈나 사회 연대 기업, 비영리 기구의 경제적 활동이 주요 투자 대상이 된다. 추구하는 투자 수익이 시장 평균 수익률보다 낮고, 사업의 지속 가능성도 사업 총경비를 회수하는 수준에 만족하는 것이 일반적이다. 투자 회수 기간에 그리 민감하지 않은 인내 자본 성격의 주식 지분 투자와 낮은 금리의 대출 또는 채권 투자로 이뤄지는 경우가 많다.

영국의 빅 소사이어티 캐피털BSC·Big Society Capital[10]은 정부 주도로 출범한 사회 투자 도매 금융 기관이다. 2000년 고든 브라운Gordon Brown 재무장관이 사회 투자 태스크포스팀을 구성한 이후 BSC가 설립되기까지 10여 년이 걸렸다. 2012년 시중 은행의 휴면 예금과 바클레이스Barclays, HSBC, 로이즈Lloyds, 로열 뱅크 오브 스코틀랜드RBS 등 메이저 은행 네 곳의 출자를 합해 6억 파운드(8547억 원) 규모로 출범했다.

도매 금융 기관으로서 BSC가 사회 투자 금융 중개 기관SIFIs·Social Investment Finance Intermediaries에 자금을 공급하고, 중개 기관이 사회적 기관이나 기업에 자금을 투자하거나 지원하는 구조다. 투자 수익을 통해 운영비와 제반 손실을 충당하는, 지속 가능한 모델임을 실증해 보이겠다는 목표를 가지고 있다.

BSC의 펀딩 구조는 다음과 같다. 먼저 15년이 넘은 휴면 예금이 이관되면, 인출 준비금을 제외한 나머지 자금이 사회적 목적을 위해 영국 복권 기금Big Lottery Fund으로 이전된다. 이 자금은 다시 영국의 네 개 지역으로 배분되는데, 이 중 잉글랜드에 할당된 몫이 빅 소사이어티 트러스트를 통해 BSC로 출자된다. 4대 메이저 은행은 각각 5000만 파운드(715억 원)씩, 총 2억 파운드(2859억 원)를 출자한다.

2017년 말 기준으로 BSC가 선정한 사회 투자 금융 중개 기관을 통해 집행된 사회 투자는 총 7억 6000만 파운드(1조 827억 원)다. 이 가운데 자체 자금이 2억 2000만 파운드(3134억 원), 매칭에 의한 공동 투자가 5억 4000만 파운드(7693억 원)다. 집행 자금의 59퍼센트는 자선 기관 및 소셜 엔터프라이즈에, 26퍼센트는 사회 투자 관련 부동산에, 6퍼센트는 운용 보수로 집행됐다. 현재 투자 포트폴리오는 74건으로 구성되어 있는데, 56퍼센트는 소셜 임팩트와 재무적 수익 면에서 양호한 그린green 등급을, 35퍼센트는 보통 수준인 앰버amber 등급을 받았다. 위험도가 높은 레드red 등급은 9퍼센트다. 펀드 투자는 투자 위원회의 투자 승인이 나면 민간으로부터 최소한 같은 규모의 자금을 모집하는 일대일 매칭을 원칙으로 한다. BSC 와 민간 자금의 비율을 1 대 3 수준으로 유지하는 것이 목표다.

BSC는 네 가지 운영 원칙을 고수하고 있다. 첫째, 독립 성의 원칙이다. BSC는 정부의 간섭을 받지 않으며, BSC에 투자한 은행 네 곳의 통제를 받지 않는다. 둘째, 투명성의 원칙이다. BSC는 사회 투자 시장의 주도자로서 제3 섹터와 관련한 정보와 전문 지식을 적극 공유한다. 셋째, 자급자족의 원칙이다. 운영과 투자 과정에서 발생하는 잠재적 손실을 투자이익으로 만회하고, 나아가 적은 금액이라도 재무적 수익을 낼 수 있어야 한다. 수익이 곧 사회 투자 모델의 지속 가능성을 의미하기 때문이다. 넷째, 도매 금융의 원칙이다. BSC는 재원을 중개 기관을 통해 투자하고 직접 투자는 하지 않는다.

사회적 기관 직접 투자 ; 소셜 인베스트먼트 비즈니스 그룹

BSC가 사회 투자 금융 중개 기관을 지원하는 도매 금융 기관이라면 사회적 기관과 사업에 직접 투자하고 관리하는 금융 중개 기관 중 하나가 소셜 인베스트먼트 비즈니스SIB·Social Investment Business 그룹[11]이다. 영국의 SIB 그룹은 공공 기관으로부터 특정 사회적 사업을 위한 자금을 펀드로 위탁받아 운용하는 중간 금융 기관 역할을 하고 있다.

SIB 그룹은 2002년 12월 마을 공동체 기업 지원을 위해 2200만 파운드(313억 원)의 홈 오피스home office 투자 자금으로 어드벤처 캐피털 펀드Adventure Capital Fund를 설립하며 출발했다. 이 펀드는 2006년 보증에 의한 유한회사로 변경된 후 같은 해 등록 자선 기관이 되었다.

2002년에 설립된 이후 2013년까지 1200개가 넘는 사회적 기관에 약 4억 파운드(5700억 원)를 대출과 교부금grant 으로 지원했다. 운용하는 펀드도 대출 전용과 교부금 전용 두 가지가 있다. 교부금과 대출을 따로 운용하기도 하지만 동일한 사업에 두 가지를 동시에 적용하기도 한다. 사업 대상은 자선 기관이나 소셜 엔터프라이즈다. 제도권 금융 기관들은 상환 위험이 높다고 판단해 높은 금리를 요구하거나 대출을 거절하는 사회적 사업을 지원한다. 리스크를 최소화하기 위해 SIB는 대출과 교부금 지급에만 그치지 않고 대상 사회적 기관들과 긴밀한 관계를 유지한다. 사업 수행을 위한 인적 자원 연결, 컨설팅 등을 다각도로 지원한다. 이는 실제 투자 위험 관리의 중요한 과정이다.

SIB 그룹은 SIB 재단과 그 자회사인 SIB 유한회사, 퓨처 빌더스 잉글랜드Futurebuilders England 유한회사, 포워드 엔터프라이즈Forward Enterprise FM 유한회사로 이루어져 있다. SIB 재단은 지역 공동체 기반의 소셜 엔터프라이즈에 투자하는 어드벤처 캐피털 펀드와 커뮤니티 빌더스 펀드를 운용하고 있다. SIB 유한회사는 주로 정부 부처를 대신해 펀드 운용 계약 업무를 담당하고 있고, 포워드 엔터프라이즈 FM은 출소자나 마약 중독에서 회복 중인 사람들에게 일자리를 제공하는 소셜 엔터프라이즈에 투자하기 위해 2018년 3월 설립되었다.

알트 밸리 커뮤니티 트러스트Alt Valley Community Trust는 SIB 그룹의 대표적인 투자 사례다. 알트 밸리 커뮤니티 트러스트는 영국 중부 리버풀에서 비즈니스 기회 창출과 경제 개발, 지속 가능한 커뮤니티 구축을 지원하는 단체다. 이 단체는 시 의회뿐 아니라 지역 학교들과도 긴밀한 관계를 유지하고, 산하 조직을 통해 다양한 활동을 수행한다. 공동체 대학communiversity의 평생 배움 센터, 스포츠 및 여가 생활 센터, 공동체 농장, 중급 기술 노동 시장 취업 기회 발굴, 14~16세 청소년들에게 직업 기반 교육 기회를 제공하는 프로젝트, 건강 증진 활동 프로그램 운영, 전과자 직업 훈련 등이다.

SIB의 대출 사업을 통해 시장 수익률을 추구하기는 매우 어렵다. 부실률을 최대한 낮추려고 노력하겠지만 재무적 수익을 추구하기보다는 운영비를 마련하고 적정 부실률을 유지하는 수준의 수익에 만족할 가능성이 높다.

투자자, 전문가, 혁신을 연결하라 ; 소셜 파이낸스

소셜 파이낸스Social Finance는 영국의 사회 투자 시장 활성화를 도모하기 위해 2007년에 설립된 비영리 기구다. 이 기관의 설립 목적은 금융, 전략 컨설팅, 사회 부문에서 상당한 전문성을 갖춘 개인들을 연계해 혁신적이고 지속 가능하며 규모의 경제를 이룰 수 있는 투자 제안을 실제 사업으로 실행해 내는 것이다.

소셜 파이낸스 초기 팀은 휴면 예금 위원회를 도와 2007년 3월 사회 투자 은행Social Investment Bank의 설립을 제안했고, 이 제안에 따라 2012년 4월 빅 소사이어티 캐피털이 공식 출범했다. 운영비는 주로 영국 복권 기금과 자선 단체의 기부금으로 충당하지만, 정부 및 사회적 기관들에게 제공하는 컨설팅을 통해서도 수익을 얻는다.

소셜 파이낸스는 해결해야 할 사회적 문제를 규명하고, 이 역할을 가장 잘 수행할 수 있는 사회적 기관 및 개입 프로그램을 발굴하고, 필요한 자금을 조달할 혁신적인 모델을 만드는 코디네이터 역할을 한다. 대표적인 예가 소셜 임팩트 본드(social impact bond, 사회 성과 연계 채권)[12]다.

소셜 임팩트 본드는 특정한 사회 문제의 해결에 유용한 것으로 검증된 프로그램의 실행에 소요되는 자금을 민간 투자자로부터 조달한다. 프로그램 수행의 성과에 따른 지급 보상을 계약하고, 이에 따른 모든 소요 비용을 일정 목표 이상의 성과가 나올 때만 정부로부터 지급받는 계약을 체결하는 다자간 계약 구조다. 정부는 사업 성공 시에만 비용을 지원하기 때문에 사업 실패에 따른 위험을 감수하지 않는다. 검증된 사회 문제 해법을 가진 프로그램 서비스 기관들은 자신들의 사업을 확장scale up할 수 있는 기회를 얻게 되고, 민간 투자자들은 사회적 임팩트를 만들어 내는 동시에 사업 성과에 따른 재무적 수익을 기대할 수 있다.

이렇게 시작된 소셜 임팩트 본드는 2018년 10월 현재 23개국에서 119건, 총 4억 1000만 달러(4617억 원) 규모로 진행되고 있다.[13] 여기에는 서울시와 경기도에서 진행되는 두 건의 한국 소셜 임팩트 본드도 포함되어 있다.

고객을 차별하지 않는 지역 금융 ; CDFI

미국의 CDFI(Community Development Financial Institution)[14]는 저소득층과 저소득 지역에 대한 자금 제공을 최우선 목적으로 하는 지역 개발 금융 기관이다. CDFI가 탄생한 배경은 1980년대 저축 대부 조합 사건으로 알려진 대형 은행의 스캔들과 은행의 고객 차별 행위, 특히 소수 집단에 대한 차별이었다. 이윤이 적다는 이유로 은행들이 소액 상품을 취급하지 않고, 은행 통폐합 과정에서 많은 지역에 지점을 설치하지 않음으로써 소기업 및 도심의 저소득층 지역, 농촌 지역, 인디언 원

주민들은 금융에서 소외되었다.

지역 개발 금융 기관의 주요 법인 유형 다섯 가지는 신용 협동조합, 융자 기금, 소기업 기금, 은행, 벤처 캐피털이다. 자산 규모는 5만 달러(5630만 원)에서 10억 달러(1조 1260억 원) 이상까지 편차가 매우 크다. 미국 내에서 공식 인증된 CDFI 개수는 1000개가 넘고 총자산도 1000억 달러(112조 6000억 원)가 넘는다. CDFI로 인증을 받으려면 지역 개발 촉진이 주요 목적임을 증명해야 하고, 금융 서비스 및 자본에 쉽게 접근할 수 없는 저소득층과 소외 계층 혹은 경제적 낙후 지역을 대상으로 금융 및 교육 서비스를 제공해야 한다.

2016년 기준으로 연간 457건의 신청 가운데 약 3분의 1인 158건이 채택되었다. 금액으로는 총 6억 7500만(7600억 원) 달러를 요청했고, 약 4분의 1인 1억 7020만 달러(1916억 원)가 지급됐다. CDFI 한 개당 200~500만 달러(23~56억 원)가 지원되었다. 지원을 받으려는 신청 기관은 사업의 파급 효과와 서비스의 확대 가능성을 증명해야 한다. 정부가 아닌 자금원으로부터 매칭 펀드를 확보해야 하고, 지원금은 운영 보조금으로 사용할 수 없다.

미국 CDFI 기금이 운영하는 프로그램은 이외에도 다양하다. 금융 실적에 따라 보상금을 지급하는 BEA 프로그램, 인가받은 발행 채권에 대해 정부가 보증해 주는 CDFI 채권 보

증 프로그램, 저소득 낙후 지역 사회적 금융 기관에 투자하는
투자자에게 세액 공제 혜택을 주는 NMTC 프로그램 등이다.

지구의 가난을 투자로 해결하다 ; 아큐먼 펀드

아큐먼 펀드Acumen Fund[15]는 투자 은행 출신의 재클린 노보그
라츠Jacqueline Novogratz가 미국의 록펠러 재단, 시스코 시스템스
재단, 개인 후원자 세 명의 도움으로 2001년 설립한 비영리
임팩트 투자 기관이다. 아프리카, 남미, 동남아시아의 저소득
인구가 처한 빈곤 문제를 기존의 원조 방식이 아닌 임팩트 투
자 방식으로 해결하기 위해 소셜 엔터프라이즈와 혁신적인 아
이디어에 투자해 왔다. 2017년 6월 기준으로 13개국에 걸쳐
102개의 소셜 엔터프라이즈, 385명의 리더들에게 1억 1000
만 달러(1239억 원)를 투자했다. 투자 관심 분야는 농업, 의료
및 보건, 교육, 주택, 에너지, 물과 위생 등 신흥국 저소득층의
기본 생활과 직접적으로 관련된 분야다.

아큐먼의 흥미로운 투자 사례 중 하나는 탄자니아의 에
이 투 지 텍스타일 밀스A to Z Textile Mills다. 이 소셜 벤처는 한 해
40만 명이 넘는 아프리카의 말라리아 사망자 수를 줄이기 위
해 그물에 살충제를 입힌 모기장을 제조한다. 일본 스미토모
화학 등과 협업해 만들었는데, 5년간 살충제를 보충하지 않아
도 사용이 가능하다. 아큐먼은 이 회사에 2003년 32만 5000달

러(3억 6600만 원)를 대출해 줬고, 2005년에는 대출과 보조금을 합해 67만 5000달러(7억 6000만 원)를 투자했다. 연간 2900만 개의 모기장을 생산하는 이 회사는 2003년 초기 투자를 받은 이후 7000명 이상의 고용을 창출했다. 아프리카에서 말라리아로 인한 사망자 수를 획기적으로 줄이는 데에도 기여했다.

아큐먼은 이 투자가 최상의 자선 사례에 비해 52배 더 효율적cost effective이었다는 분석을 내놨다. 동일한 사회적 가치를 창출하는 데 드는 비용이 자선과 비교할 때 52분의 1 수준이라는 의미다.[16]

아큐먼은 글로벌 및 지역 펠로우 프로그램을 통해 긍정적인 사회적 변화를 촉진할 지식, 지원 시스템, 그리고 실행의 지혜를 가진 탁월한 리더들을 선정하는 일도 하고 있다. 리더들의 미션 성취를 다각적으로 지원하는데, 미국에 두 곳, 영국 런던에 한 곳, 신흥국 다섯 곳에 글로벌 사무실을 두고 있다.

글로벌 소액 금융 서비스 ; 액시온

액시온Accion[17]은 저소득층을 대상으로 한 소액 금융 서비스 기관을 지원, 육성하고 투자하는 글로벌 비영리 조직으로 조지프 블래치포드Joseph Blatchford가 1961년 설립했다. 1973년 브라질에서 소액 대출 파일럿 프로그램을 시작한 이래 지난 50여 년간 네 개 대륙, 32개국에 63개의 소액 금융 기관을 설립하는 데 기여했다. 1983년 소액 금융 기관 글로벌 네트워크인 레드Red 액시온을 설립한 이후, 신흥국뿐 아니라 미국 서부 캘리포니아부터 동부 뉴욕에 이르는 미국 최대의 비영리 소액 금융 기관 네트워크를 만들었다.

소액 금융 서비스는 론 오피서loan officer로 불리는 대출 담당 직원들의 인건비 비중이 매우 높고, 고객들의 신용 정보에 기초한 금리 산정이 어렵기 때문에 금리도 높다. 액시온은 이러한 고비용 구조로 인한 높은 금리를 디지털 기술과 모바일 기술을 활용한 혁신을 통해 최대한 낮추기 위해 노력하고 있다.

액시온의 사업은 자문 서비스와 투자로 나누어 볼 수 있다. 자문 서비스는 소액 금융 기관의 지속적인 성장 전략, 고객 가치 창출과 장기적 관계 구축을 위한 고객 중심 상품 설계 전략, 디지털 기술의 접목, 경영 효율화, 위험 및 신용 분석 등 사업 전반에 걸쳐 제공된다.

액시온의 투자는 소액 금융 기관의 성장을 돕기 위해 1995년 설립한 액시온 게이트웨이 펀드Gateway Fund에서 시작되었다. 이후 2003년에는 라틴 아메리카 및 아프리카의 소액 금융 기관 투자를 위해 영리 투자 회사인 액시온 인베스트먼츠를 설립했다. 2010년에는 프론티어 인베스트먼츠 그룹을 설립해 상품 및 서비스의 효율성과 고객 접근성을 획기적으로 개선할 수 있는 혁신 기술 기반 소액 금융 벤처에 투자를 시작했다. 현재 액시온의 글로벌 투자 포트폴리오는 2006년 나이지리아에 설립한 액시온 소액 금융 은행을 포함해 21개의 소액 금융 기관으로 구성되어 있다.

변방에서 주류로

2010년 11월 JP모건JP Morgan이 록펠러 재단, GIIN과 함께 발표한 〈임팩트 투자: 떠오르는 애셋 클래스Impact Investments: An Emerging Asset Class〉라는 제목의 보고서가 세간의 주목을 받았다. 글로벌 자본 시장을 이끄는 메이저 증권사가 임팩트 투자를 새로이 부상하는 하나의 자산군으로 제시했다는 점에서 의미가 컸다. 세계의 사회적, 환경적 문제 해결을 미션으로 삼고 있는 임팩트 투자가 더 이상 소수의 관심 영역이 아니라 주류 자본 시장의 한 흐름으로 편입되었음을 시사하는 것이었다.

그러나 자본 시장 전체의 관리 자산에 비하면 임팩트 투자의 규모는 아직 미미한 수준이다. 대형 금융 기관의 경우 임팩트 투자를 위한 자금 모집 단위가 전통적인 투자 상품에 비해 훨씬 작기 때문에 임팩트 투자를 기피하는 경향이 있다. 재무적 수익을 확보하는 것 못지않게 중요한 사회적 수익, 임팩트의 측정 문제 역시 상당 수준의 관리 감독이 필요하다는 점에서 투자에 걸림돌로 작용한다.

실제로 수조 달러의 총자산을 관리하는 스위스 은행

인 UBS가 두 건의 임팩트 투자 펀드로 모집한 자금은 5000만 달러(563억 원)에 불과했다. 그런데 펀드를 판매하는 데 드는 비용은 대규모 펀드만큼 들었다. 임팩트 투자에 대한 요구가 있다 하더라도 투자 자금 모집 단위가 충분히 크지 않으면 대형 은행의 판매 플랫폼에 올리는 것은 현실적으로 어렵다.

그럼에도 불구하고 미국과 유럽의 유수 투자 은행 증권사는 이미 오래전에 사회 책임 투자 또는 지속 가능 투자의 영역에 뛰어들었다. 이에 더해 특정한 사회적, 환경적 미션을 투자에 접목하는 임팩트 테마 투자에까지 진출하고 있다.

골드만 삭스Goldman Sachs는 2001년 이후 골드만 삭스 어번 인베스트먼트 그룹Urban Investment Group을 통해 저소득 지역 공동체 개발 프로젝트에 70억 달러(7조 8820억 원)를 투자했다. 지역 비영리 조직과 협력해 적정 가격 주택, 양질의 교육과 의료 서비스를 지원하고, 소셜 엔터프라이즈와 영세 자영업자들을 위한 성장 자본을 공급해 저소득층의 자립을 위한 기본적인 환경을 조성하는 데 중점을 두고 있다. 골드만 삭스는 뉴올리언스, 뉴욕, 뉴어크, 디트로이트, 멤피스 등 미국 전역에 걸쳐 지역 개발과 재생 프로젝트에 투자하고 있다. 어번 인베스트먼트 그룹은 2013년에 2억 5000만 달러(2815억 원) 규모의 골드만 삭스 소셜 임팩트 펀드Social Impact Fund를 출범시키기도 했다.

모건 스탠리Morgan Stanley는 2018년 9월 자사의 임팩트 투자 플랫폼인 인베스팅 위드 임팩트 플랫폼Investing with Impact Platform이 관리하고 있는 고객 자산이 250억 달러(28조 1500억 원)를 넘어섰다고 발표했다. 이 플랫폼은 개인 투자자, 패밀리 오피스, 종교 단체, 기업, 대학, 연금, 재단, 비영리 단체, 기부 자가 원하는 다양한 투자 목적을 수용할 수 있는 유연성을 갖추고 있다. 또한 미션 얼라인 360°툴킷Mission Align 360° Toolkit이라는 임팩트 투자 지원 시스템을 만들어 종교적 가치, 기후 변화, 성 다양성 등과 같은 지속 가능 투자 테마를 지원한다. 고객마다 임팩트 디렉터impact director를 지정해 분명한 목적을 가진 투자를 할 수 있도록 돕는다. 모건 스탠리는 2012년 4월 미국 국무부의 글로벌 임팩트 경제 포럼Global Impact Economy Forum에서 지속 가능 투자를 시작한다고 천명한 바 있다.

JP모건 체이스Chase는 2008년에 신설된 소셜 파이낸스 부서를 통해 임팩트 투자를 직접 실행하고 상품을 설계해 고객의 자금을 유치하고 있다. 임팩트 투자에 대한 고객 수요를 창출하기 위해 연구와 파트너십에도 상당한 노력을 기울여 왔다. 임팩트 투자의 공급 측면에서, 최근 다국적 환경 보호 단체 네이처 컨서번시Nature Conservancy와 함께 환경 보전 사업 투자 플랫폼인 네이처베스트NatureVest를 출범시켰다. 네이처 베스트는 공공 및 자선 자본을 보완할 수 있는 10억 달러

(1조 1260억 원)의 민간 자본 유치를 목표로 투자성 있는 프로젝트를 발굴하고 있다. 임팩트 투자 수요 측면에서는 임팩트 투자에 더 많은 투자자들이 관심을 가지고 참여할 수 있도록 GIIN과 연계해 매년 임팩트 투자 보고서를 발간, 임팩트 투자의 성과와 기회를 소개하고 있다.

임팩트 투자의 스펙트럼

사회 책임 투자와 사회 투자가 임팩트 투자에 편입되면서 임팩트 투자는 그 영토를 상당히 넓혀 왔다. 임팩트 투자는 사회적 수익을 추구하는 모든 투자를 포괄하는 개념으로 자리를 잡고 있다. 투자 대상이나 지역, 자산군에 관계없이, 사회적 수익인 임팩트 창출을 재무적 수익 창출과 연계하여 추구하는 투자다. 임팩트 투자의 재무적 수익 스펙트럼도 시장 평균 이하에서부터 시장 평균과 시장 평균 이상까지 넓게 펼쳐져 있다.

임팩트 투자 스펙트럼에서는 한쪽 끝에 전통적인 기존 투자를, 반대편에는 자선·기부를 두고, 그 사이에 임팩트 우선 투자, 임팩트 테마 투자, 사회 책임 투자를 배열할 수 있다. 이 스펙트럼의 배열 자체가 암묵적으로 내포하는 것은 사회적 수익인 임팩트를 우선으로 추구할수록 재무적 수익을 포기해야 하고, 재무적 수익을 추구할수록 임팩트를 포기해야 한다는 점이다. 이처럼 임팩트와 재무적 수익이 서로를 상쇄하는 것이 아니라 한쪽을 높이면 다른 한쪽도 높아지는 상승 관계가 되려면 무엇이 필요할까? 해답은 혁신이다. 혁신은 임팩트와 수익 중 어느 하나를 위해 다른 하나를 희생해야 하는 상쇄 관계가 아니라 임팩트를 더 만들어 낼수록 수익률이 더 높아지는 상승 관계를 가능하게 한다.

임팩트 우선 투자는 사회적 가치의 실현을 우선하고, 재

임팩트 투자 스펙트럼

전통적 투자	임팩트 투자				자선
	책임 투자	지속 가능 투자	테마 투자	임팩트 우선 투자	
이익 극대화	ESG 위험 관리	기회로서의 ESG	임팩트 테마	사회적 필요에 중점	재무적 수익 없음

◀·············· 시장 경쟁적 투자 수익 ··············▶

◀·············· 임팩트 극대화 해법 ··············▶

상장 기업	상장 기업	비상장 기업 상장 기업	비상장 기업

* NPC, 〈Investing for Impact: Practical Tools, Lessons, and Results〉, www.thinkNPC. org, 2015.

무적 수익의 희생을 감수하는 투자다. 우리나라에서 임팩트 우선 투자의 대표적인 경우가 2012년에 설립된 서울시 사회 투자 기금이다. 사회적 프로젝트, 소셜 하우징, 소셜 벤처, 소셜 엔터프라이즈, 협동조합 등 다양한 사회적 프로젝트와 사회적 경제 기업들에게 필요한 자금을 2퍼센트 수준의 저금리로 장기 융자해 주는 기금이다. 목표로 하는 사회적 가치 창출을 전제로 하기 때문에 시장 수익률을 추구하지 않고 경비 충당 정도의 이자 수입과 원금 상환에 만족하는 구조다.

임팩트 테마 투자는 사회 문제 해결의 목적, 즉 사회 혁신에 대한 투자다. 임팩트 테마를 사회적 목적 또는 사회적 사명이라고 번역할 수 있다. 투자 대상은 혁신 추구형의 소셜 벤처, 소셜 엔터프라이즈, 상장 대기업이다.

　　사회 책임 투자는 기업의 사회적 책임에 대한 투자로서 투자 대상은 상장 기업이다. 사회 책임 투자를 세분화하면, 방어적으로 리스크 관리에 관심을 두는 책임 투자responsible investing 와 적극적으로 사회 문제 해결에 관심을 두는 지속 가능 투자 sustainable investing로 나눌 수 있다.

기업의 사회적 책임 ; 사회 책임 투자

상장 주식에 투자할 때 투자 대상 기업의 사회적 책임을 촉구하는 것을 사회 책임 투자라고 부른다. 사회 책임 투자는 기업의 핵심 전략에 기업의 사회적 책임 또는 공유 가치 창출을 도입하고 있는 상장 기업에 투자하는 것이다. 환경 및 사회 이슈, 지배 구조 이슈 등 사회적 책임 측면에서 긍정적인 평가를 받고 있는 기업이나, 한 걸음 더 나아가 종업원, 협력 회사, 지역 사회 등 이해 관계자들과 협력해 사회적, 재무적 수익을 키우고 공유하는 공유 가치 창출 기업에 투자한다.

　　사회 책임 투자라는 용어는 임팩트 투자라는 용어가 생기기 이전부터 쓰였다. 사회 책임 투자의 기원은 1928년 설립된 술, 담배 관련 회사의 주식을 기피하는 투자 펀드인 파이오니어 펀드Pioneer Fund다. 현대적 의미의 첫 사회 책임 투자 펀드는, 베트남 전쟁 반대 여론이 일었던 1971년 미국에서 출시된 윤리적 펀드 팍스 월드 펀드Pax World Fund다. 두 명의 감리교 목사와 두 명의 실업인이 창설한 이 펀드는 기업의 윤리적 책임을 기준으로 삼았다.

2006년에는 코피 아난Kofi Annan 유엔 사무총장이 여섯 개의 원칙과 세 개의 세부 실천 프로그램으로 구성된 책임 투자 원칙PRI·Principles for Responsible Investment을 출범시켰고, 사회 책임 투자는 전 세계적인 흐름으로 부상하게 된다.

상장 기업으로의 임팩트 투자 확대는 큰 의미가 있다. 상장 기업은 자산군 가운데 가장 큰 비중을 차지하고 있는 데다 투자 접근성도 높다. 2017년 GIIN의 조사에 따르면 응답한 209개 임팩트 투자 기관 중 16퍼센트가 상장 주식에 임팩트 투자를 하고 있다고 답했다. 이 기관들은 시장 평균 이하의 수익률보다는 위험 가중 또는 시장 수익률을 추구하는 경우가 많았고, 이머징 마켓보다는 선진국 시장에 중점을 두고 있었다. 이는 안정적인 투자 수익률과 관련이 있다. 상장 주식은 위험과 기대 수익을 측정하기 용이하고, 선진국은 발달한 시장 인프라를 갖추고 있기 때문이다.

또 하나 흥미로운 점은 응답자의 52퍼센트가 현재 상장 주식에 임팩트 투자를 하고 있거나, 향후 투자할 계획을 가지고 있다고 응답한 것이다. 이들에게 상장 주식을 통해 어떻게 임팩트를 만들어 내는가를 질문했을 때, 제품이나 서비스 (83퍼센트) 또는 사업 운영(69퍼센트)을 통해 이미 긍정적인 임팩트를 만들어 내는 기업들에 초점을 맞춘다고 대답했다.

그러나 상장 주식 투자를 통한 임팩트 창출에 있어서는 여전히 견해차가 존재한다. 2017년 GIIN의 설문 조사에서 상장 주식 임팩트 투자를 하고 있지 않거나 향후에도 할 계획이 없다고 응답한 투자자들이 밝힌 이유들은 다음과 같다. 첫째, 경영에 영향력을 행사할 수 있을 만큼 지분 투자를 하지 않고서는 상장 주식을 통한 임팩트 창출은 힘들다. 둘째, 목표로 하는 임팩트 창출 유형에 해당되는 기업들은 대개 비상장 중소기업이나 지역 기반 조직체들이다. 셋째, 상장 주식 투자를 통해 만들어 내는 임팩트에 대한 측정이 어렵다.

글로벌 지속 가능 투자 리뷰[18]에 따르면 2016년 기준으로 전 세계 사회 책임 투자 규모는 2014년에 비해 25퍼센트 증가한 23조 달러(2경 5898조 원)이며 전 세계 운용 자산의 26퍼센트에 달한다. 반면 국내 3대 연기금인 국민연금, 공무원 연금, 사학 연금의 사회 책임 투자액은 2015년 기준 약 7조 원으로 전체 운용 자산의 1퍼센트를 조금 넘는 수준이다. 그나마도 국민연금이 90퍼센트에 가까운 비중을 차지하고 있다.

사회 책임 투자는 환경Environment, 사회Social, 지배 구조 Governance 항목으로 이뤄진 ESG를 종합적으로 고려하여 투자를 결정하는데, 임팩트 투자보다 투자 수익을 우선한다. ESG 를 추구하는 것이 장기적으로 기업의 재무 성과에도 도움이 된다는 믿음에 근거한다. 사회 책임 투자의 대상은 대개 상장 대기업의 주식이나 채권이다. 자산 운용 시장의 다른 펀드들과 경쟁하기 때문에 시장 평균 이상의 수익을 추구한다.

사회 책임 투자 중에서 ESG를 대상 기업 및 투자의 리스크 관리 수단으로 활용하면 책임 투자, ESG 요소를 심화 분석해 적극적으로 초과 수익 기회를 찾아서 최고 수준의 ESG 점수를 받은 기업들로 투자 포트폴리오를 구성하면 지속 가능 투자라 지칭한다.

사회 책임 투자의 투자 실행 전략으로는 선별screening, 관여engagement, 주주 행동주의shareholder activism가 있다.[19]

선별은 ESG 요소에서 높은 점수를 기록한 기업 주식을 선별하여 투자하는 것이다. 투자자가 상장 기업의 ESG 활동과 성과를 광범위하게 조사하기는 쉽지 않으므로 보통은 외부 조사 기관의 도움을 받는다. 투자 대상 기업들의 ESG를 평가하는 국내외 여러 기관이 ESG 지수를 발표하는 이유다. 우리나라의 지수로는 KRX ESG 리더스 150, WISE ESG 우수 기업, MSCI 코리아 ESG 유니버설 등이 있다. 손쉬운 투자 방법으로는 ESG 지수에 편입되어 있는 회사 중에서 선별해 투자하는 것이다. 더 간편한 방법은 ESG 지수 편입 주식들을 자의적으로 모은 펀드인 EGS ETF(Exchange Traded Fund)에 투자하는 것이다.

관여는 기업 경영진에게 필요한 ESG 요소를 강화해 달라고 요청하는 방식이다. 예를 들면 강원랜드 투자자가 경영진에게 카지노 운영을 건전하게 하라고 요구하는 식이다. 보통은 투자 대상 기업의 지배 구조가 관심사다. 2006년 미국의 라자드 펀드Lazard Fund는 한국 상장 기업을 대상으로 지배구조 개선을 요구했다. 당시 장하성 고려대 교수가 이 펀드의 고문으로 있어서 '장하성 펀드'로도 불렸다.

주주 행동주의는 주주들이 주주 총회 발언, 표 대결, 언론 홍보, 집회를 통해 자신의 의견을 행동으로 표시하는 것이다. 역사적인 사례로 미국과 유럽의 기관 및 시민 투자가들이 1980년대 중반 남아프리카공화국 백인 정부의 인종 차별에 반대하여 벌인 금융 보이콧 운동을 들 수 있다. 이 운동으로 다국적 금융 투자 기관들, 다국적 기업들이 남아프리카공화국에서 철수했다. 이를 계기로 백인 정부가 무너졌고 흑인 민권 운동가 넬슨 만델라Nelson Mandela는 28년 만에 감옥에서 석방되었다.

문제에 집중하다 ; 임팩트 테마 투자

특정 임팩트 테마의 혁신적, 시장적 해결 방식에 투자하는 것이 임팩트 테마 투자다. ESG 항목에 대한 점수를 전문 평가 기관으로부터 받아 투자에 활용하는 사회 책임 투자 방식에 비해 임팩트 테마 투자는 특정 테마에 초점을 맞춰 투자 프로세스를 진행하기 때문에 훨씬 단순하고 직접적이다.

임팩트 테마의 분야는 지구적 가난과 국제 개발 협력, 환경과 에너지, 도시 재생, 건강과 바이오, 지역 개발과 마을 기업, 예술·문화·교육·공연 등 다양하다. 임팩트 투자자들은 사회적, 환경적 테마 중에서 관심과 전문성이 있는 분야에 중점적으로 투자해 왔다.

이러한 투자 방식에 국제적인 준거를 마련한 것이 UN의 17개 지속 가능 개발 목표다. UN은 2000년부터 추진되어 2015년에 마무리된 밀레니엄 개발 목표MDGs·Millennium Development Goals 이후 2015년부터 2030년까지 이행할 17개의 지속 가능 개발 목표SDGs·Sustainable Development Goals를 정했다. UN의 지속 가능 개발 목표가 주로 저개발 국가에 해당되는 것은 사실이지만, 빈곤, 불평등, 사회적 포용, 친환경 에너지, 양질의 일자리, 지속 가능한 도시, 토지 자원, 해양 자원, 기후 변화 등은 선진국에도 해당되는 임팩트 테마다.

17개 목표는 크게 세 그룹으로 나누어 볼 수 있다. 첫 번째 그룹은 '저소득 인구층BoP·Bottom of Pyramid의 삶의 질 개선'이다. 정의하기에 따라 수십억 명에 이르는 이들에게 기본적인 건강, 교육, 에너지, 금융 서비스를 공급하는 것이 목표다.

지금까지 이러한 서비스는 신흥국 정부의 적은 재원과 선진국의 개발 원조에 의해 아주 제한적으로 제공되었다. 구매력이 약하고 시장 인프라가 부실하기 때문에 시장을 통한 서비스 공급이 거의 불가능했다. 그러나 신흥국의 농촌 지역에 모바일 통신 수단이 보급되는 등 급속한 기술 발전으로 이들의 수요를 충족할 시장 창출이 가능해졌다. 의료 분야에서는 인터넷 원격 진단, 교육 분야에서는 태블릿 PC를 이용한 교육 콘텐츠 보급, 에너지 분야에서는 저비용 고효율 태양광 패널의 개발과 보급, 그리고 이 모든 서비스의 지불 수단인 모바일 결제 기술 발달이 소액 금융의 확장과 함께 BoP 마켓의 급속한 성장을 견인하고 있다.

두 번째 그룹은 '지속 가능한 생산 방식의 적용'이다. 농업, 어업, 임업, 축산업 등 1차 산업에서는 자원의 순환을 무시한 추출적extractive 방식이 아닌 생성적generative 생산 방식을 확산시키는 것이 목표다.[20] 제조업에서는 납품을 위한 생산부터 소비 단계, 그리고 수거에 이르기까지 공급 사슬supply chain을 포함한 전체 사이클에 걸쳐 환경과 생태계 보전을 추구한다.

마지막 그룹은 '지속 가능한 사회 공동체의 형성'이다. 사회 공동체의 지속 가능성을 위협하는 부의 양극화, 성 불평등, 도농 간 사회 인프라의 격차, 부정부패 등의 문제를 줄이는 것이 목표다.

이 세 가지 그룹의 목표가 달성되기 위해서는 각 분야에서 사회적, 환경적 문제 해결을 위한 사업 방식의 혁신, 그것을 만들어 내는 소셜 앙트러프러너십이 시장을 통해 확산되어야 한다. 혁신을 시장에 접목할 수 있을 때, 복제와 확산을 거쳐 지속 가능한 구조를 만들고 문제를 근본적으로 해결할 수 있다.

임팩트 투자자들이 UN SDG 항목들을 준거로 하고 있지만 이들의 임팩트 테마가 SDG 17개 항목에만 국한되는 것은 아니다. 사회적, 환경적 임팩트가 있다고 판단되는 투자 대상을 선별하는 것은 각 임팩트 투자자의 관심과 주관적인 판단에 의존한다.

채권과 주식의 중간 수준 위험 단계인 상품에 투자하는 메자닌Mezzanine 투자와 기업 공개 전Pre-IPO 투자라는 특별한 투자 영역에서도 상장 기업 대상 임팩트 테마 투자 기회를 찾을 수 있다. 코스닥 상장 기업 유바이오로직스는 2018년 4월 30일 200억 원 규모의 만기 3년 신주 인수권부 사채BW와 100억 원 규모의 보통주 전환 가능 우선주CPS를 발행했다. 모집한 자금은 유엔보건기구WHO에 공급 계약한 먹는 콜레라 백신의 생산 시설 증설 및 2025년 이후 장티푸스, 폐렴구균, 수막구균 백신 등의 신약 개발에 사용된다. WHO는 구매한 콜레라 백신을 유니세프를 통해 제3세계 빈곤층에게 저렴하게 공급한다. 이 회사는 콜레라 백신의 포장 용기를 병에서 튜브

용기로 바꿔 제품의 부피, 무게, 원가, 편의성을 개선했다. 유바이오로직스의 BW와 CPS에 대한 투자는 세계 소외 빈곤층의 질병 예방이라는 임팩트 테마에 대한 투자다.

기업 공개 전 투자는 주식 시장에 상장될 것으로 예상되는 회사의 주식에 투자하는 것이다. 처음에는 비상장 주식에 대한 투자이지만, 주식 상장 후에 매각하여 투자를 회수하므로 편의상 상장 기업 대상 임팩트 테마 투자로 분류한다.

상장 전 기업인 메가젠 임플란트는 임플란트 제품을 생산 판매한다. 이 회사는 임플란트용 소프트웨어를 개발해 임플란트 시술 기간, 시술 정확도, 환자의 편의성을 획기적으로 개선했다. 이 회사는 1~2년 내 기업 공개를 전제로, 2018년 3월 9일 만기 4년의 신주 인수권부 사채 100억 원 어치를 발행했다. 만기 보장 수익률은 연 6퍼센트다. 주식 전환가는 1만 7570원으로, 리픽싱refixing 70퍼센트의 조건이 있다. 주식 상장 후 주가가 하락할 경우, 1만 7570원의 70퍼센트까지 전환가를 조정할 수 있다는 의미다. 이 회사 전환 사채에 투자할 경우, 임팩트 테마는 임플란트 시술 대상 노인층의 편의성 개선이라고 할 수 있다.

의도성과 부가성

경제학자 조지프 슘페터Joseph Schumpeter는 기술 혁신으로 창조적 파괴에 앞장서는 기업가의 노력과 의욕을 앙트러프러너십이라고 칭했다. 경영학의 아버지 피터 드러커Peter Drucker는 위험을 감수하고 기회를 사업화하려는 모험과 도전 정신이라고 말했다. 종합하면, 앙트러프러너십은 기업가가 만들어 내는 도전적이고 의욕적인 혁신을 향한 정신이라고 할 수 있다.

소셜 앙트러프러너십은 앙트러프러너십에 사회적 문제를 해결하겠다는 의도성intentionality을 더한 개념이다. 명확한 의도를 가지고 사업을 구상한다는 점에서, 소셜 앙트러프러너십은 영리를 목적으로 제품과 서비스를 개발하는 과정에서 의도치 않게 발생한 사회적 가치와는 다르다. 의도성을 파악하기 위해서는 투자 대상인 기업의 경영층이 사회 변화의 의도를 갖고 있었느냐는 질문이 필요하다.

방글라데시의 유누스 박사나 삼성의 이병철 회장은 모두 훌륭한 기업가로 존경받고 있다. 그러나 유누스 박사가 사회적 기업가로 불리는 것과 달리, 이 회장은 비즈니스 기업가로 생각할 수 있다. 두 기업가의 차이는 사회적 변화를 일으키는 것을 사업 목적으로 삼았느냐 하는 의도성에 있다.

마찬가지로 임팩트 투자 역시 임팩트, 사회적 가치 창출이라는 목적의식을 명확하게 설정하고 이뤄지는 투자다. 임팩트 투자자들은 사회 문제를 해결하려는 사업에 사회적 의도성을 갖고 투자한다.

임팩트 투자는 부가성additionality에 대한 투자이기도 하다.[21] 부가성은 기업이나 투자자의 활동으로 부가적인 사회 가치가 창출되었느냐는 질문에 대한 답이다. 기업 활동 또는 투자로 사회의 변화 양상이 달라지는지 생각해 보는 것으로 답을 찾을 수 있다. 예컨대 모든 식품 기업이 사회에 건강한 식품을 공급하겠다는 의도를 갖고 있다고 하더라도, 그 기업의 식품으로 부가적인 사회 변화가 일어나지 않았다면 부가성이 있다고 할 수 없다. 결국 혁신에 관한 질문이라고 할 수 있다. 사업과 투자를 통해 새로운 시장이 열리고 사회의 변화를 일으킬 수 있느냐 하는 것이다.

부가성이라는 기준은 기업이나 투자자에게는 지나치게 엄격한 기준으로 생각될 수 있다. 내가 투자하지 않았다면 사회 변화가 일어나지 않았을 것이라고 단정하기는 좀처럼 쉽지 않다. 그러나 다른 사람들이 쉽게 도전하지 않는 혁신에 주목하고 투자에 나서라는 의미로 이해한다면 충분히 적용 가능하다. 자신이 관심을 갖고 있는 사회 문제 해결을 위해 투자했다는 사실 자체에 의미를 부여할 수 있다.

재무적 수익

임팩트 투자에서도 사회적 수익과 함께 재무적 수익은 핵심 구성 요소다. 임팩트 투자는 추구하는 재무적 투자 수익에 따라서 크게 시장 평균 미만과 시장 수익률 또는 그 이상으로 나뉜다. 시장 평균보다 낮은 수익률을 추구하는 경우도 있지만, 최소한 투자 활동 관련 경비와 물가 상승분을 충당할 수 있는 수준의 수익을 추구하는 것이 일반적이다. 재무적 수익은 곧 임팩트 투자의 지속 가능성으로 이어진다는 점에서 중요하다.

GIIN의 2017년 조사에 따르면 2016년 투자분에 대한 투자자들의 기대 수익률은 시장 수익률 또는 그 이상인 경우가 많았다. 시장 평균 미만의 수익률을 추구하는 임팩트 우선 투자자들도 신흥국 투자에서는 높은 수익률을 기대하고 있었다.

200명의 투자자를 대상으로 실시한 임팩트 투자 성과에 대한 조사에서도 재무적 수익은 임팩트 성과 못지않게 높은 것으로 나타났다. 임팩트 성과에 대해 전체 응답자의 98퍼센트가 기대 이상이었다고 답했는데, 재무적 성과에 대해서도 전체 응답자의 91퍼센트가 기대 이상의 성과를 거뒀다고 평가했다.

투자의 프로세스

자산 운용 포트폴리오 구성 측면에서 임팩트 투자를 크게 두 유형으로 구분할 수 있다. 첫째는 재무적 수익에 중점을 두고 있는 일반 투자자가 임팩트 자산을 포트폴리오의 한 부분으로 편입하는 경우이고, 두 번째는 모든 자산을 임팩트 자산으로 구성하는 경우다. 전자는 임팩트 자산이 전체 포트폴리오 중에서 대체 자산의 지위를 차지한다. 후자는 임팩트 자산들의 위험과 기대 수익, 테마, 자산 종류, 투자 지역, 통화 등을 염두에 두게 된다. 임팩트 투자 펀드를 상정한다면 일반적으로 상장 주식 펀드와 비상장 주식 펀드로 구분되며, 상장 채권과 비상장 채권 펀드도 구분된다. 비상장 주식으로 구성되는 임팩트 펀드의 투자 프로세스는 아래 도표와 같다.

비상장 주식 임팩트 펀드의 투자 집행 전후의 투자 프로세스

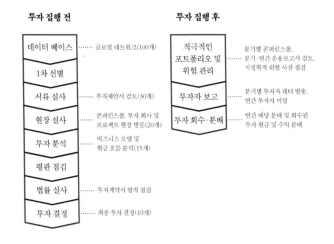

투자 집행 전

데이터 베이스	⋯⋯ 글로벌 네트워크(100개)
1차 선별	
서류 실사	⋯⋯ 투자제안서 검토(30개)
현장 실사	⋯⋯ 콘퍼런스콜, 투자 회사 및 프로젝트 현장 방문(20개)
투자 분석	⋯⋯ 비즈니스 모델 및 현금 흐름 분석(15개)
평판 점검	
법률 실사	⋯⋯ 투자계약서 법적 점검
투자 결정	⋯⋯ 최종 투자 결정(10개)

투자 집행 후

적극적인 포트폴리오 및 위험 관리	⋯⋯ 분기별 콘퍼런스콜, 분기·연간 운용보고서 검토, 지정학적 위험 사전 점검
투자자 보고	⋯⋯ 분기별 투자자 레터 발송, 연간 투자자 미팅
투자 회수·분배	⋯⋯ 연간 배당 분배 및 회수된 투자 원금 및 수익 분배

측정할 수 없다면 관리할 수 없다

몸무게를 관리하려면 몸무게를 측정해야 한다. 사업의 이익을 측정하고 이해관계인에게 보고하듯, 임팩트도 측정하고 보고해야 한다. 임팩트 측정 및 보고는 소셜 앙트러프러너십의 요건인 의도성과 부가성을 점검하는 수단이기도 하다.

임팩트 투자의 두 가지 중요한 목적 중 하나인 재무적 성과는 투자 수익률로 분명하게 측정되지만 임팩트의 성과 측정은 상당한 도전이다. 우리가 지금은 당연하게 생각하는 기업 활동의 재무적 성과도 오랜 기간의 발전 과정을 거친 회계와 재무라는 매개를 통해 기업과 그 활동을 화폐 단위로 측정하는 작업을 거쳤다. 이를 통해 단일한 비교 단위로 환산된 결과물을 서로 비교, 공유, 거래, 경쟁한 덕분에 측정이 가능해진 것이다. 마찬가지로 임팩트의 측정도 오랜 발전의 과정을 거치면 어느 정도 비교, 공유, 거래, 경쟁이 가능한 수준에 이를 것이라고 기대할 수 있다.[22] 그런데 아직까지는 임팩트 사업의 사회적, 환경적 성과를 화폐적 단위로 측정하는 데에 뚜렷한 한계가 있다. 임팩트 측정이 화폐 단위로 환산하는 것을 목표로 삼기보다 측정이 쉽고 손에 잡히는, 계량화라는 보다 포괄적인 방법을 택하는 이유다.

많은 단체와 연구 기관들이 임팩트 측정 및 보고의 틀을 연구, 제안하고 있다. 다양한 제안에서 공통적이고 기본적

인 요소를 추리면 다음과 같다.[23]

① 투자 대상 사업의 사회적 목적에, UN SDG 17개 목표 중 하나를 골라 매칭한다. 사업의 임팩트 테마가 전 세계가 당면한 임팩트 테마에 어떻게 기여하는지 살펴본다.

② 투자 대상 사업의 사회적 목적 달성을 위한 하위 목표를 세개 내외로 정한다. 하위 목표의 목표치를 사전에 설정하고 사후에 측정한다. 하위 목표는 비즈니스 활동의 직접적인 결과물이다. 이를 아웃풋 메트릭스(output metrics) 또는 KPI(Key Performance Indicators)라고 한다.

③ 투자 대상 사업 각각에 대한 임팩트 측정을 이해관계인들에게 정기적으로 보고한다.

뭄바이 소액 금융 사업의 임팩트 측정 및 보고 사례

임팩트 측정 및 보고

투자 대상 : 비상장·상장 기업
예) Micro Finance 사업, 뭄바이

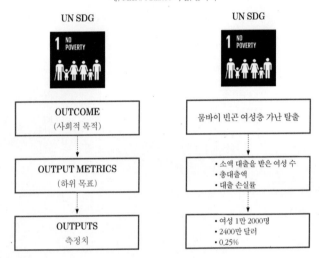

임팩트 펀드 자산 운용사의 임팩트 측정 및 보고 사례

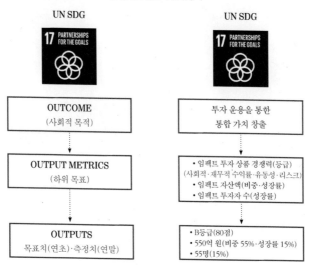

임팩트 측정 및 보고

임팩트 투자 운용 기관
예) 임팩트 펀드 자산 운용사

5장에 실린 투자 사례의 내부 수익률은 투자 대상의 제안에 근거한 것입니다.

변화에 투자하라

성공적인 국내외 소셜 엔터프라이즈의 사례들이 여러 매체를 통해 소개되고 있지만 임팩트 투자라는 관점에서 이뤄진 분석은 드물다. 소셜 엔터프라이즈는 보통 수익보다는 사회적 가치를 우선시하는 기업이라는 측면에서 다뤄지고 있다. 국내에서 사회적 가치와 시장 수익률을 동시에 추구하는 사례가 많지 않기 때문이다. 다음은 필자가 몸담고 있는 아크 임팩트 자산 운용이 투자하고 있는 사례들이다. 혁신을 통해 높은 수익률과 사회적 가치 창출이 가능하고, 동시에 투자의 성공에도 혁신의 가치가 필요하다는 점을 보여 주고 있다.

낙후된 지역 공동체 재생 ; 필라델피아 노스 켄싱턴

도시 재생은 저개발국이나 신흥국보다 선진국에서 더 중요한 문제다. 도시 재생은 도심 공동화로 슬럼이 되고 있는 도시를 재정비하여 첨단 산업 단지 또는 예술인·소상공인 거리를 조성하거나, 건축물을 리모델링하고 경관을 복원하는 등의 다양한 방법으로 도시를 활성화하는 사업을 말한다. 급속한 도시 확장으로 인한 도심 공동화는 일정 수준 이상의 개발이 진행된 선진국에서 발생할 가능성이 높다. 도시 재생을 하드웨어의 재생이라고 한다면, 공동체 재생은 소프트웨어를 살리는 방안이라고 할 수 있다.

아크 임팩트 글로벌 사모 펀드는 600만 달러(68억 원)

의 자금을 미국 필라델피아 노스 켄싱턴North Kensington의 지역 공동체 재생 프로젝트에 투자했다. 필라델피아는 최근 도시 재생이 활발하게 진행되고 있는 지역이다. 노스 켄싱턴은 아직 도시 재생의 영향권에 포함되지 못한, 필라델피아에서 가장 낙후된 지역이다. 시청에서 전철로 15분밖에 걸리지 않는 지역이지만 여전히 마약, 범죄, 실업 등의 사회·경제적 문제가 심각해 부동산 개발업자들이 접근할 엄두를 내지 못하고 있다. 노스 켄싱턴의 빈곤율은 필라델피아 평균의 다섯 배에 달한다. 실업률 역시 도시 평균의 두 배가 넘는다. 2013년 기준으로 비어 있는 건물 수는 1241개나 된다.

사회적 부동산 개발업자social developer인 시프트 캐피털Shift Capital이 공동체 재생 프로젝트 대상으로 이 지역을 선정한 것은 사회적 임팩트 측면이나 상업적 측면에서 전략적인 결정이었다. 이 지역이 안고 있는 사회적 문제들과 오랫동안 방치되어 온 산업 및 상업 부동산의 가격 수준을 감안할 때 지역 공동체 재생이 만들어 낼 사회적, 재무적 가치가 클 것이라는 판단이었다. 필라델피아 출신으로 지역 사정에 밝은 부동산 개발 전문가들과 임팩트 투자 기관에서 사회적 가치를 만들어 낸 경험이 있는 리더들, 지역 비영리 기구 관계자들이 협력해 노스 켄싱턴 공동체 재생 프로젝트가 시작되었다.

이 프로젝트 팀의 목표는 명확하다. 노스 켄싱턴 지역

의 사회 경제적 인프라가 정비된다면 필라델피아 도시 재생의 흐름을 낙후 지역에도 끌어올 수 있다는 것이다. 그들은 우선 전철역 인근의 방치된 공장 건물을 선별해 매입하기 시작했다. 매입한 건물들은 예술 구역, 의료 바이오 구역 등으로 묶어 공간을 재생한 뒤 넓은 공간을 시세보다 저렴하게 공급한다는 계획이다. 건물 재생 공사와 유지 관리에는 지역 공동체 인력을 고용하고 건물 주변 정비, 방범 CCTV 설치 등으로 안전성을 확보하기로 했다.

동시에 지역의 소규모 창업가 발굴과 지원을 위한 켄싱턴 소상공인 창업 대회를 필라델피아 시 정부, 지역 공동체 개발 조직과 함께 개최해 창업 아이디어 아홉 개를 선정했다. 각각의 팀에게는 시프트 캐피털이 지원하는 창업 지원 자금 1만 달러(1126만 원), 12개월간의 건물 무상 임대 혜택과 함께 시 정부가 제공하는 보안 카메라, 간판 개설 비용 3500달러(394만 원)가 지급됐다. 지역 공동체 개발 조직은 사업 컨설팅을 무료로 제공했다. 이 사업의 혁신 원천은 프로젝트팀의 지역 이해와 지역 시민 단체들의 긴밀한 협력 관계였다.

이 프로젝트의 목적은 방치되었던 산업 및 상업 부동산 재생과 지역 상공인, 예술가, 유망 임차 기업 유치를 통한 지역 공동체 활성화와 안정적인 임대 공간 제공이다. 매입한 부동산들의 재생 공사가 마무리되고 공간 임대가 본격화하면 임대료 수입으로 연 7퍼센트의 투자 배당을 기대할 수 있다. 배당률은 임대율 상승에 따라 점점 높아질 것으로 예상된다.

투자자들은 지역의 경제 활동이 활발해지고 부동산 가치가 상승할 것으로 예상되는 7년 후 부동산 매각을 통해 투자 자금을 회수한다. 여기에서 한 가지 쟁점이 발생한다. 새로운 소유주가 부동산 가격 상승에 따라 임대료를 지속적으로 올려 입주 소상공인들이 밀려나는 젠트리피케이션이 발생할 수 있다는 우려다. 이에 따라 지역을 살리고 지역 공동체를 되살리겠다는 프로젝트의 목적이 크게 훼손될 수 있다는 것이다.

프로젝트팀이 합의한 방법은 비영리 트러스트를 설립해 투자금을 회수하는 시점의 시장 가격으로 부동산을 매입하는 것이다. 이렇게 되면 비영리 트러스트를 통해 매입 이후에 적정 임대료 수준을 유지하면서 지역 공동체를 보전할 수 있다. 지역 공동체 재생, 적정 임대료 유지, 민간 투자자의 경쟁력 확보를 함께 성취하는 방법이다.

아크 임팩트 글로벌 펀드가 이 프로젝트에서 기대하고 있는 내부 투자 수익률IRR·Internal Rate of Return은 부동산 매각 차익을 포함해 연 20퍼센트다.

인도 슬럼의 혁신적 개발 모델 ; 뭄바이 슬럼 재개발

뭄바이는 인도 서북쪽 마하라슈트라주의 주도로, 아라비아해에 면한 작은 섬이다. 크기는 인도 총면적의 0.02퍼센트이지만 인도 국내 총생산GDP의 6퍼센트, 세입의 33퍼센트, 산업 생산량의 25퍼센트를 차지하는 인도 금융 및 엔터테인먼트 산업의 중심 도시다. 서울과 거의 같은 면적에 2000만 명의 인구가 살고, 그중 절반인 1000만 명이 도시 곳곳에 산재한 슬럼 지역에서 산다. 슬럼 지역 대부분은 개인 소유가 아닌 시 정부 소유지로, 시골에서 올라온 사람들이 하나둘 판잣집을 지으면서 슬럼을 형성한 것이다. 좁은 땅에 큰 면적을 차지하고 있는 슬럼 지역의 주택들은 보통 2층 이하다. 1000만 명이 거주한다는 사실을 감안하면 집들이 얼마나 촘촘하게 들어서 있는지 가늠할 수 있다. 슬럼 지역에서는 거주자 100명당 화장실 하나를 쓰고 있을 정도로 삶의 질이 열악하다.

그런 환경에서도 뭄바이의 부동산 가격은 전 세계 아홉 번째로 비싸다. 중국 상하이의 두 배, 일본 도쿄와 거의 비슷한 수준이다. 세계에서 가장 높은 수준의 인구 밀도, 주변으로 확장이 불가능한 섬이라는 조건, 거기에다 땅의 절반을 차지하고 있는 슬럼이 뭄바이의 구조적인 주택 공급 부족을 만들어 내고 있기 때문이다. 최선의 방법은 슬럼 재개발이지만 뭄바이 시 정부로서는 엄청난 개발 자금을 감당할 수 없는 형편이다.

임팩트 투자자들은 시 정부와 주민, 부동산 개발 업체와 함께 이 문제의 해결을 시도하고 있다. 물론 쉽지 않은 문제다. 재개발을 위해서는 다음의 몇 가지 조건이 동시에 충족되어야 한다. 첫째, 오랜 점유 기간과 경제 수준을 감안하면 슬럼 주민들에게 주택을 거의 무상으로 공급해야 한다. 둘째, 슬럼 주민 협의회의 재개발 동의를 얻어야 한다. 셋째, 건축 기간 동안 슬럼 주민들이 주변 지역으로 이동, 거주할 비용이 제공되어야 한다. 넷째, 주민들을 위한 공사 기간 거주 비용과 적정 주택을 무상 제공하고도 충분히 매력적인 투자 수익을 만들어 낼 수 있어야 한다.

우선 슬럼 주민에게 제공할 주택의 문제를 보자. 주민들은 오랜 슬럼 생활에 적응하고 있다. 판잣집보다 훨씬 나은 서민 아파트를 지어 주겠다면서 비용을 부담하라고 하면 시세보다 아무리 싸게 주겠다고 해도 거부할 것이다. 어떻게든 돈을 빌려 구입한다 하더라도 결국은 소액의 차익을 실현하고 매각해 다른 지역으로 밀려날 가능성이 높다. 한국의 뉴타운 재개발처럼 말이다. 주민들이 떠나지 않게 하려면 거의 무상의 적정 주택이 필요하다. 이에 따라 무상으로 주택을 공급하되 10년간 매각이나 임대를 금지하는 단서를 붙이는 방법이 제안되었다. 부부 등 가족 단위로 주택을 공동 소유하도록 하는 방안도 포함됐다.

무엇보다 인도는 정책 집행을 명분으로 주민들의 의견을 무시하고 행정력으로 밀어붙일 수 있는 사회가 아니다. 민

주주의가 확립되어 있는 인도에서 주민의 의견은 강력한 힘을 갖고 있다. 슬럼 재개발은 주민들이 주체가 되어 주민의 요구를 가장 잘 실행할 수 있는 신뢰할 만한 부동산 개발 업체를 선정하는 일이 중요하다. 투자자들은 우선 주민들이 조합원으로 참여하는 주택 협동조합을 만들 수 있도록 도움을 주고, 조합원 총회에서 70퍼센트 이상이 찬성한 개발 업체만 뭄바이시의 개발 승인을 받을 수 있도록 했다. 재개발 기간 동안 주민들의 거주 공간을 마련하는 일도 중요하다. 부동산 개발 업체가 인근의 부동산 중개업자들과 연대해 새로운 주거지를 소개하고 이사와 거주 비용을 제공해야 한다.

투자자들을 만족시킬 수 있는 투자 수익률을 내는 일은 설계 과정부터 반영되어야 한다. 민간 투자 자금을 유치하려면 주민들의 이사 및 퇴거, 거주 자금, 주택 건설 등의 비용을 모두 상쇄하고도 남을 정도의 수익성을 제시해야 한다. 뭄바이 슬럼 재개발 사업은 전체 개발 지역의 절반을 주민들이 거주할 서민 고층 아파트 타운으로 만들고, 나머지 절반은 일반 매각을 위한 고급 아파트를 건축하는 방향으로 결정했다. 일반적인 부동산 개발 사업과는 달리 정부가 소유하고 있는 토지를 상당 기간 무료로 사용할 수 있어 토지 매입 자금이 필요하지 않다는 점은 투자 수익을 크게 높이는 요인이다.

이러한 솔루션은 뭄바이 시 정부의 슬럼재개발국이 지

난 20여 년간 시행착오를 거쳐 구조화한 모델이다. 슬럼에서 적정 주택으로 삶의 질이 향상된 주민들과 세금을 들이지 않고 지역 주민의 삶을 개선한 뭄바이 시 정부 모두에게 이익이 되는 프로그램이라고 할 수 있다. 특히 도시 차원에서는 주택 총량이 증가하면서 위생, 인프라의 개선과 함께 부동산 가격 안정에도 기여할 수 있다.

아크 임팩트 자산 운용은 GIIN의 글로벌 임팩트 투자 네트워크를 통해서 뭄바이 슬럼 재개발 사업에 200만 달러(22억 5000만 원) 투자를 결정했다. 뭄바이 현지에서 만난 부동산 개발 업체는 슬럼 재개발 사업에 특화된 업체로 지역 주민들과 친밀한 관계를 형성하고 있었다. 주민들과의 마찰을 줄이면서 퇴거를 진행하고 공사 준비 기간을 단축하는 일은 재개발 사업의 중요한 경쟁력이다. 최근에는 건축 기술의 향상으로 건설 기간이 단축된 데다 뭄바이 시 정부의 적극적인 지원, 간소화된 개발 승인 과정으로 프로젝트 기간을 크게 단축시키고 있었다. 기간 단축은 금융 비용 절감으로 이어지고, 투자 수익률 향상에도 도움을 준다.

정부·민간 파트너십, 부동산 개발 업체와 지역 주민의 친밀한 관계가 뭄바이 슬럼 재개발의 혁신으로 작용하고 있다. 7년 예정의 프로젝트가 종료될 때 기대되는 내부 투자 수익률은 연 20퍼센트다.

시장을 만드는 혁신 ; 아프리카 태양광 에너지 공급

전 세계에서 하루 2.5달러(2815원) 미만의 소득으로 살아가는 빈곤층은 약 27억 명에 달한다. 세계 인구 75억 명의 35퍼센트에 해당하는 규모다. 연 소득 3000달러(338만 원) 미만으로 범위를 확대하면 전 세계의 70퍼센트에 해당하는 52억 명으로 불어난다.

빈곤층은 인간다운 삶에 필수적인 기초 소비재, 에너지, 의료, 교육, 금융 분야에서 소외되어 있다. 그럼에도 빈곤층은 기부나 원조의 대상이었을 뿐, 비즈니스의 대상은 아니었다. 경제력이 없는 이들을 대상으로 하는 제품과 서비스의 개발은 이뤄지지 않았고, 빈곤층의 시장 소외는 점점 심각해졌다.[24]

그러나 최근에는 빈곤층 시장에서 성과를 거두고 있는 기업들이 속속 등장하고 있다. 영국의 통신사 보다폰Vodafone이 케냐의 최빈곤층에게 모바일 뱅킹 서비스를 이용할 수 있는 15달러(1만 7000원)짜리 휴대폰을 판매한 지 10년 만인 지난 2010년 아프리카 인구의 55퍼센트인 5억 명이 휴대폰을 사용하게 되었다. 모바일 통신 시장이 확장되면서 소액 대출 산업이 성장했다. 모바일 소액 결제 시스템은 거래 비용을 혁신적으로 줄였고, 가구별 결제 데이터를 바탕으로 한 분석은 사용자의 신용 위험을 측정할 수 있게 했다. 경제 활동을 할 수 있게 된 빈곤층은 거대한 소비 시장으로 주목받고 있다.

아크 임팩트 글로벌 사모 펀드가 400만 달러(45억 원)를 투자한 빈곤층 신재생 에너지 사업은 새로운 시장 개척을 통한 임팩트 창출과 재무적 수익 창출을 보여 주는 대표적인 사례다.

전 세계에서 전기를 공급받지 못하고 있는 인구 10억 명 가운데 6억 3000만 명이 사하라 이남 아프리카에 거주하고 있다. 이 지역에서는 등유나 자동차 배터리로 조명을 켜는 가구가 많다. 등유는 연소 가스로 인해 건강을 해칠 위험이 있고, 배터리는 자전거에 싣고 읍내 사설 충전소까지 가서 충전해야 하는 불편이 있다. 이동, 충전 등의 비용을 합하면 가구당 매달 14달러(1만 5764원) 정도를 쓴다. 이를 에너지 비용 기준으로 산정하면 이 지역의 잠재 전력 시장 규모는 약 194억 달러(21조 8444억 원)에 달한다.

만약 같은 비용으로 태양광 발전기를 쓸 수 있다면 삶의 질이 대폭 개선될 것이다. 그러나 빈곤층 가구의 경제력을 감안할 때 발전기 가격을 낮추고 할부 수금할 수 있는 금융 시스템이 필수적이다.

이러한 문제를 해결한 태양광 발전기가 최근 아프리카 지역에서 각광받고 있다. 르완다 농촌 지역의 에너지 문제 해결을 위해 세 명의 젊은 공학도들이 개발한 가정용 소형 태양광 발전기는 2010년 BBOX라는 기업 설립으로 이어졌다. 이들은 2014년 원격 모니터링 기술을 개발해 사용량 측정이 가능한 스마트 제품을 출시했다. 사업 시장은 르완다에서 케냐, 콩고, 토고로 확장됐다.

이들의 비즈니스 모델은 성능이 우수한 스마트 태양광 발전기의 저비용 생산, 원격 모니터링 기술을 접목한 빅데이터 분석, 그리고 유통 채널의 확보라는 제조, 데이터, 유통의 삼박자를 모두 갖춘 신재생 에너지 플랫폼이다. 르완다와 케냐 시장에서 이미 검증된 모델을 아프리카의 각 지역에 확산, 복제해 2020년까지 2000만 명에게 태양광 에너지를 보급할 계획이다.

위험한 등유와 불편한 자동차 배터리 충전에 들어가는 비용과 동일한 비용으로 태양광 발전기를 소유하고 관리 서비스를 받는 일은 사용자 대상의 규모를 고려할 때 사회적, 환경적으로 엄청난 임팩트를 일으킬 수 있다. 동시에 기술 개발과 투자에 따른 수익도 높다. 지역 환경에 최적화된 태양광 발전 시스템 디자인과 제품 표준화를 통한 생산 비용 절감, 원격 모니터링 및 제어, 스마트 미터링 기술과 빅데이터 분석 기술, 모바일 결제 기술을 활용한 제품 보급 및 운영 관리 서비스는 규모의 경제를 통해 사업의 수익성을 높인다. 제조, 데이터, 기술, 유통 채널을 한데 묶은 플랫폼 전체의 매각이 이뤄지면 상당한 이익을 거두고 투자 자금을 회수할 수 있다.

이러한 비즈니스 모델은 아프리카 농촌 지역의 소득이

점진적으로 증대함에 따라 TV, 소형 냉장고와 같은 전자 제품과 LPG 공급망, 인터넷 같은 유틸리티 서비스로 확장될 수 있고, 강력한 플랫폼으로 자리 잡을 수 있다. 전기 인프라가 깔려 있다고는 하지만 아프리카와 아시아의 도시 지역에는 전기 공급이 불안정한 곳이 매우 많다. 이러한 도시의 거주민들에게도 가정용 태양광 발전 시스템을 보급한다면 시장은 더욱 확대될 수 있다.

5~7년 후 프로젝트가 종료될 때 기대되는 내부 투자 수익률은 연 25퍼센트다.

소셜 벤처를 키우다 ; 뉴욕의 혁신 스타트업 육성

세계 최고의 스타트업 인큐베이터 및 액셀러레이터로 꼽히는 기관은 와이콤비네이터Y Combinator와 테크스타스Techstars다. 이들 기관은 전 세계를 대상으로 혁신적인 비즈니스 아이디어와 모델을 가진 스타트업들을 선발해 멘토링 프로그램을 통해 키워 내고 유망 스타트업들을 추려 시드 머니를 투자해 성과를 거두고 있다.

뉴욕에서는 ERA(Entrepreneurs Roundtable Accelerator)라는 혁신 벤처 인큐베이터 및 액셀러레이터 기관이 빠른 속도로 성장하고 있다. 혁신 스타트업을 육성하는 일은 그 자체로 사회적인 임팩트를 내포하고 있다. 특히 유망 스타트업들 중에서 소셜 벤처로서의 성격이 뚜렷한 기업들에 주목한다면 사회의 변화를 일으키는 투자가 가능하다.

아크 임팩트 글로벌 사모 펀드는 테크스타스, ERA와의 파트너십을 통해 혁신 및 소셜 벤처 육성과 투자에 참여하고 있다.

ERA는 1년에 두 차례에 걸쳐 4개월 과정으로 액셀러레이터 프로그램을 진행한다. 매 세션마다 열 곳 내외의 스타트업을 선정하는데, 이때 ERA 펀드에서 각 스타트업의 보통주 8퍼센트 지분을 취득하는 조건으로 10만 달러(1억 1262만 원)의 공간, 설비, 서비스를 지원하는 초기 투자를 한다.

ERA는 300명 이상의 멘토 네트워크를 자랑한다. 이들은 각 분야의 전문가로서 경험이 많은 창업가, 산업 전문가, 직능별 전문가, 대기업 임원, 투자자로 이뤄져 있다. 스타트업들의 핵심적인 사업 문제 해결을 돕기 위해 일대일 워크숍을 진행하는데, 제품을 시장에 최적화시키는 작업부터 제품 개발, 마케팅, 판매, 금융에 이르기까지 다양한 멘토링을 제공한다. 이들 중에서 각 스타트업에 배정되는 전문 멘토lead mentors는 스타트업의 성장세를 파악하고 향상시키기 위해 매주 1회 스타트업 관계자들과 미팅을 한다.

액셀러레이터 프로그램에 참여하는 스타트업에게는 무상의 공동 작업 공간, 법률·회계 컨설팅, 은행 서비스, 소프트웨어 및 웹 호스팅 등이 제공된다. 4개월 프로그램을 마친 후에는 투자자들에게 사업을 소개하고 투자를 유치하는 데모데이demoday가 열린다.

ERA의 네트워크는 귀중한 자산이자 혁신의 원천이다. 벤처 캐피털 여섯 곳의 파트너들인 ERA 경영진이 보유한 인맥과 300명 이상의 멘토들, 50개의 기업 파트너들, 데모데이에 참석하는 2000명 이상의 투자자들은 모두 혁신을 만들어내는 귀중한 자산이다. 지금까지 ERA의 액셀러레이터 프로그램에 참여한 모든 스타트업들과 창업자들 역시 포트폴리오 네트워크라고 할 수 있다.

ERA는 스타트업 육성 기관인 동시에 스타트업 펀드 매니저다. 2011년 이후 총 113개의 스타트업 육성 투자를 했고, 최근 여섯 번째 펀드 운용을 시작했다. ERA는 스타트업 단계를 지나 성장 자금이 필요한 벤처들을 위한 펀드도 운용하고 있다. 이 펀드는 ERA의 포트폴리오에 있는 ERA 프로그램 졸업 벤처들에 대한 지분 취득 권리를 활용할 뿐 아니라, 뉴욕 전역의 ERA 네트워크를 활용해 유망 벤처를 찾는다. 육성한 벤처들 가운데에서 후속 투자 대상을 발굴하는 동시에 ERA의 네트워크에서 잠재 투자 대상 벤처를 발굴하여 딜 소싱deal sourcing을 하는 투자도 병행한다.

스타트업 육성 분야의 강자인 테크스타스의 프로그램에서 선발되는 스타트업 가운데 소셜 벤처로 분류될 수 있는 기업들은 빠른 속도로 증가하고 있다. 테크스타스 관계자는 전체 프로그램 선발 기업들 중 약 25퍼센트가 소셜 벤처라고 말한다. 테크스타스는 2018년 6월 업계 최초로 소셜 벤처 특화 육성 프로그램인 테크스타스 임팩트 프로그램Techstars Impact Program을 출범시켰다.

5~7년 후 프로젝트가 종료될 때 기대되는 내부 투자 수익률은 연 25퍼센트다.

임팩트 투자의 현재와 미래

임팩트 투자를 사회적, 환경적 가치와 재무적 가치를 함께 추구하는 기업이나 사업에 투자하는 것이라고 단순하게 정의한다면, 한국의 임팩트 투자는 2007년 제정된 사회적 기업 육성법에 근거한 사회적 기업 투자로부터 시작되었다고 보아야 할 것이다. 사회적 기업 육성법의 핵심은 고용노동부에 사회적 기업으로 인증을 받고 인건비를 지원받는 것이다. 대부분의 경우 사회적 약자에게 취업 기회를 제공하는 것이 사회적 기업 인증의 중요 요건이다.

한국에서 사회적 기업에 대한 지분 투자는 재무적 수익보다는 사회적 가치 우선 투자의 성격이 크다. 따라서 열매나눔재단이나 함께일하는재단 같은 비영리 조직들을 중심으로 투자가 이뤄졌다. 2008년 통일부와 열매나눔재단, SK의 투자로 새터민 중심의 사회 취약 계층을 고용하여 골판지 상자 제조업을 하는 메자닌 아이팩이라는 사회적 기업이 설립된 것이 대표적인 사례다.

사회적 기업에 대한 주식 지분 투자는 투자 수익률이나 투자 자금 회수의 불확실성이 크다. 그래서 일반 투자자의 자금 유입은 기대하기 어렵다. 사회적 기업에 대한 초기 지분 투자에 나섰던 비영리 재단들도 투자 자금 회수의 어려움을 겪었다. 그뿐 아니라 비영리 재단이 기업 지분을 5퍼센트 이상 소유할 수 없도록 제한하는 법 제도의 한계에 부딪히고 있다. 이후 사회적 기업에 대한 자금 투입은 보조금 성격의 사업 지원으로 방향을 틀었고 정책성 자금의 저리 융자 업무 대행에 치중하게 되었다. 사회적 기업, 협동조합, 마을 기업, 사회적 프로젝트에 대한 투자는 대부분 융자 및 보증 성격의 방식에 국한되고 있다.

융자 성격의 정책성 임팩트 우선 투자로는 2008년부터 시행된 서민금융진흥원(전 미소금융)의 사회적 기업 임대차 보증금, 운영 자금 대출 프로그램을 들 수 있다. 2010년부터는 중소기업진흥원의 중소기업 정책 자금 중 사회적 기업, 협동조합 등에 대한 대출이 시작되었다. 서울시 사회 투자 기금이 2012년부터 사회적 기업, 협동조합, 사회적 프로젝트, 소셜 하우징 등 폭넓은 사업을 대상으로 진행한 투자는 총 기금 규모 703억 원의 사업이었다. 대출 금리는 대부분 2.0~4.5퍼센트로 재무적 리스크를 반영하지 않은 수준이다. 사회적 가치가 재무적 수익에 우선하는 구조라고 할 수 있다.

사회적 기업에 대한 보증 성격의 정책 금융 지원은 2012년부터 시행 중인 신용보증기금의 정책성 특례 보증, 지역 신용보증재단의 사회적 기업 전용 특례 보증을 들 수 있다. 5년 만기, 90~100퍼센트 보증 비율, 그리고 상대적으로 낮은 연 0.5퍼센트의 보증 요율을 제공한다. 이들 보증 기관들은 기업

은행을 비롯한 시중 은행의 융자와 연계하고 있다. 사회적 기업들에 대한 융자 및 보증 프로그램은 정부의 사회적 경제 활성화 정책 기조에 발맞춰 2018년 들어 규모를 확장하고 있다.

2010년 즈음에는 사회적 기업을 일부 포함한 신생 벤처 중에서 사회적 가치를 창출하는 스타트업에 관심을 가진 소수의 투자자 그룹이 형성되기 시작했다. 이 투자자 그룹은 이전의 비영리 기관 또는 정책 자금을 수행하는 중간 조직이 아닌 순수 민간 투자의 성격이었다. 이들은 혁신적인 아이디어와 사업 모델을 통해 사회적 가치와 동시에 재무적 투자 가치를 함께 만들어 내는 소셜 벤처에 투자하는 명실상부한 임팩트 투자자 그룹이다.

이 가운데 D3쥬빌리는 국내외 소셜 벤처에 대한 임팩트 투자 기회를 소개하고 투자 자금을 모집하여 소규모이지만 선도적으로 투자했다. 대표적인 투자 사례가 공정 여행 소셜 엔터프라이즈인 트래블러스맵, 신용 불량자 회생을 돕는 '희망 만드는 사람들', 법률 시장의 문턱을 낮춘 로앤컴퍼니 등이다. 수차례에 걸친 임팩트 투자 라운드 테이블을 개최하고 몇몇 소셜 벤처에 대한 분석 리포트를 발행하는 등 여러 실험적 시도를 통해 임팩트 투자를 한국에 알리는 데 기여했다. IT 관련 개발 및 컨설팅 업체로 출발한 청년 벤처 크레비스 파트너스도 사회적 가치를 창의적인 방법으로 창출해 내는 소

셜 벤처에 지분 투자를 하고 있다. 크레비스 파트너스의 대표
적인 투자 사례가 트리플래닛이다. 이 소셜 벤처는 이용자들
이 온라인에서 모바일 앱 게임을 하면 오프라인에서 사막화
가 진행되고 있는 지역에 실제 나무를 심는 프로젝트로 연결
시키는 플랫폼을 만들었다.

　　자본 시장의 벤처 캐피털이 소셜 벤처에 투자를 시작한
것이 다음Daum 창업자 이재웅 대표가 설립한 소풍Sopoong이다.
소풍의 대표적인 투자 사례는 카셰어링 업체인 쏘카Socar다. 이
외에 MYSC, HGI, SK행복나눔재단 등이 소셜 벤처의 육성과
인큐베이팅을 주된 사업의 하나로 삼아 제한적인 범위 내에서
지분 투자도 하고 있다. 일반적인 벤처 캐피털이지만 모태 펀
드의 사회적 기업 투자 자금을 위탁받아 운용하고 있는 쿨리지
코너 인베스트먼트도 임팩트 투자 영역에 발을 들여놓고 있다.

　　정책성 자금으로서 사회적 기업에 대한 융자 및 보증
이 아닌 자본 시장을 통한 지분 투자를 처음으로 시작한 것
이 2011년 설정된 고용노동부의 모태 펀드다. 고용부가 선정
한 자본 시장의 투자 운용사가 민간 투자자를 유치하여 만든
자子·펀드인 사회적 기업 투자 조합에 모태 펀드가 출자하는
구조다. 시작한 의도는 좋았지만 민간 투자 운용사의 투자 기
준에 부합하는 사회적 기업들을 찾기가 무척 힘들어 실제 지
분 투자 규모는 초라하다. 2016년 4호 조합의 투자 규모는 15

억 5000만 원에 그쳤다. 지분 투자를 언제 어떻게 회수할 수 있을지 불확실할 뿐만 아니라, 운용 자산에서 차지하는 비중이 미미한 사회적 기업 투자 펀드에 운용사로서는 충분한 인력을 배치할 수도 없는 실정이다. 이는 지분 투자의 대상이 인증 사회적 기업으로 제한되어 있기 때문이기도 하다.

최근 들어 지분 투자 성격의 임팩트 투자에 참여하는 정책 자금이 융자 및 보증 성격의 정책 자금과 궤를 같이하여 도입되고 있다. 2018년 초 금융위원회의 성장 사다리 펀드와 중소기업진흥공단의 한국 모태 펀드는 각각 사회적 경제 기업에 투자하는 사회 투자 펀드와 소셜 벤처를 주 대상으로 하는 임팩트 투자 펀드에 출자하는 민간 매칭 펀드 조성 계획을 발표했다. 우수한 소셜 벤처에 대한 투자는 목표로 하는 사회적 수익뿐만 아니라 양호한 재무적 투자 수익률도 기대해 볼 수 있다. 세컨더리 마켓secondary market을 통한 지분 양도, 전략적 투자자로의 매각, 나아가 코넥스Konex나 코스닥Kosdaq 시장 기업 공개를 통해 투자 수익을 거두며 투자 자금을 회수하는 길이 열려 있기 때문이다. 이는 민간 부문의 자생적 소셜 벤처 캐피털과 같은 성격의 펀드를 정책 자금의 주도하에 만들겠다는 것으로 볼 수 있다.

2018년 2월에는 정부가 영국의 BSC를 벤치마킹한 사회 가치 기금을 향후 5년간 3000억 원 규모로 조성하겠다고 발표했다. 민간의 자발적 기부와 출연을 통해 기금을 마련하고 정부로부터 독립시켜 사회 투자 금융 중개 기관을 통해 사회적 기업, 협동조합, 마을 기업에 대한 투·융자 사업을 지원한다는 계획이다. 사회적 금융 도매 기관, 즉 한국형 BSC를 설립하는 일은 쉽지 않다. 영국에서도 10여 년의 준비 기간이 필요했던 일이다. 우선은 기금의 법적 실체를 어떻게 설정할 것인지, 민간의 자발적 기부와 출연을 어떻게 유도할 것인지, 사회 투자 금융 중개 기관을 어떻게 선정할 것인지 등의 난제를 해결해야 한다.

다양한 시도가 이뤄지고 있지만, 아직 국내에서는 임팩트 투자가 활성화되지 않았다. 그 이유는 크게 다섯 가지다. 첫째, 국내에서는 주식, 부동산 시장 등 경쟁적 시장 수익률과 비견할 재무 수익률을 거둘 임팩트 투자 기회가 제한적이다. 둘째, 사회에 도움이 되는 일로 돈도 많이 벌 수 있다는 사실을 믿지 않는 분위기가 있다. 셋째, 임팩트 투자는 보통 5~10년의 장기 투자인데, 이를 수용할 준비가 미흡하다. 넷째, 법규가 비우호적이다. 예컨대 사학 재단은 주식에 자유롭게 투자할 수 없다. 비영리 재단은 기업의 주식 지분을 5퍼센트 이상 보유할 수 없다. 다섯째, 비상장 기업이나 벤처 외에 상장 기업 주식 또는 전환 사채를 대상으로 임팩트 투자를 할 수 있다는 인식이 없다.

임팩트 투자의 확산을 막는 이러한 장벽들을 극복한다면 국내 시장에서도 변화는 가능하다. 앞으로는 기업의 사회적 가치가 이윤 창출로 이어지는 시대가 열릴 것이다. 임팩트 투자는 투자의 일부가 아니라 투자의 미래다.

사회적 가치와 재무적 가치를 모두 잡으려면

벤처 투자 조합이나 정책 자금 매칭 펀드가 아닌 데다 국내 투자에만 국한되지 않은 순수 민간 자산 운용사의 임팩트 전문 투자형 사모 펀드는 2018년 초 출범한 아크 임팩트 글로벌 사모 펀드가 처음이다. 재무적 투자 성과만 추구하는 한국 자본 시장에서 자산 운용사가 임팩트와 재무적 투자 수익을 동시에 추구하면서 치열한 시장 경쟁 속으로 뛰어든다는 것은 일종의 모험이다. 아크 임팩트는 한국 자본 시장에 출사표를 던진 본격적인 임팩트 투자의 선구자로 평가할 수 있다. 필자가 몸담고 있는 곳이지만, 한국 임팩트 투자를 논하기 위해서는 반드시 언급해야 한다고 생각한다.

아크 임팩트 글로벌 사모 펀드는 포트폴리오 구성이 독특하다. UN의 SDG와 연결된 글로벌 임팩트 테마 투자로 일반적인 소셜 벤처 투자 펀드와는 다르다. 일반 펀드와 수익률에서도 경쟁을 해야 하기 때문에 글로벌 시장의 임팩트 사업 전문가를 찾아 그 사업 또는 펀드에 유한 책임 투자자limited partner로 참여한다. 기대 수익률이 높은 투자 대상을 선별하지만 단일 투자의 리스크를 줄이기 위해 일곱 개 내외의 투자 대상으로 포트폴리오를 구성한다.

한국에서 임팩트 투자는 대상, 방법, 투자자 범위, 규모 면에서 이제 걸음마를 뗀 상태다. 임팩트 투자 스펙트럼에서는 사회적 가치를 더 우선시하는 임팩트 우선 투자가 주를 이루고 있다. 따라서 재무적 가치를 균형 있게 추구하기에는 아직 부족한 사회적 경제 기업들이 투자 대상인 경우가 많다. 이는 투자 회수 방법이 불확실한 주식 지분 투자보다는 회수가 확실한 융자나 보증을 택하는 이유가 된다. 임팩트 투자 참여 그룹도 재단이나 비영리 중간 조직, 정책 자금이 주도하고 있다. 임팩트 투자에 대한 일반 투자자의 인식도 매우 낮은 상황이다.

그러나 글로벌 흐름을 감안한다면 한국의 임팩트 투자 역시 지속적으로 발전할 것으로 예상된다. 최근에는 소셜 엔터프라이즈 융자에서 소셜 벤처 지분 투자로 변화하는 양상이 보이고 있다. 매우 고무적이며 바람직한 현상이다. 성공적인 소셜 벤처들은 사회적 문제를 혁신적인 방법으로 해결하며 이를 시장을 통해 확산시킴으로써 사회적 임팩트뿐 아니라 양호한 투자 수익률도 제공할 수 있기 때문이다. 소셜 벤처 캐피털로 분류될 수 있는 투자 운용사도 늘어날 것으로 예상할 수 있다.

임팩트 투자의 대상이 소셜 벤처뿐 아니라, 중견 소셜

엔터프라이즈, 도시 및 공동체 재생 같은 부동산 관련 사회적 프로젝트로 점차 확산될 것으로 본다. 국내를 넘어 UN의 SDG 와 관련된 해외의 임팩트 테마 프로젝트에 대한 투자도 조금씩 시작될 것이다. 민간 고액 자산가들과 기관 투자가들 중에서 자산의 일부를 사회적 가치와 재무적 가치를 동시에 추구하는 임팩트 투자에 할당하는 경우도 점진적으로 생겨날 것이다.

한국에서의 임팩트 투자 발전 속도가 아주 빠를 것으로 생각하지는 않는다. 무엇보다 임팩트 창출이라는 목적을 투자에 있어서 중요한 가치 및 철학으로 삼는 투자 주체들은 한국 사회에서는 아직 소수라고 할 수 있다. 어떤 투자자들은 사회적 가치 추구는 기본적으로 자선의 영역이지 투자의 영역이 아니며 그 둘을 혼합하는 것은 두 마리 토끼를 한꺼번에 잡으려는 실현 불가능한 시도라고 평가 절하하기도 한다.

임팩트 우선 투자와 그 대상이 되는 사회적 경제 기업들의 면면을 살펴보면 이러한 견해가 전혀 설득력이 없는 것도 아니다. 하지만 확장된 임팩트 투자 스펙트럼에서는 무엇을 더 우선시하느냐에 따라 다양한 투자 참여자, 대상, 방법이 있다. 사회 문제를 혁신적인 방법으로 시장을 통해 해결하는 소셜 벤처나 소셜 엔터프라이즈의 프로젝트는 사회적 가치 추구가 재무적 수익으로 이어지는 임팩트 투자의 대상으로 주목받을 것이다.

부와 소득의 불균형, 사회 양극화는 자유 시장 경제가 만들어
낸 심각한 사회 문제다. 소셜 엔터프라이즈와 임팩트 투자자
는 시장이 만들어 낸 이러한 사회의 문제를 오히려 시장을 활
용해서 해결해야 한다고 보고 있다.

전 세계 인구 70억 명의 절반 정도가 북미, 유럽, 일본,
아시아의 일부에 거주한다. 이들은 18세기 영국에서 시작된
산업 혁명 이후 가난에서 벗어났다. 경제학자들은 이들의 빈
곤 탈출이 산업 혁명기에 형성된 시장 덕분이라고 본다. 방
직 기술과 스팀 엔진 기술, 그 기술로 만들어진 제품과 서비
스들이 영국 런던, 네덜란드 암스테르담, 이탈리아 베니스 같
은 항구 도시들을 중심으로 형성된 근대적 의미의 시장을 통
해 매매되고 전파되면서 유럽 사회를 시작으로 산업화 국가
들이 번영했다는 것이다. 근대적 의미의 시장은 회계 제도, 정
보 전달의 수단, 교통수단, 금융 등 기초적인 사회 생태계를
갖춘 시장을 말한다.

경제학자들은 시장 덕분에 부를 얻은 서방 세계가 가난
탈출을 돕는다며 아프리카에는 시장을 보급하지 않고 원조를
해주는 것은 모순이라고 날카롭게 지적한다.[25] 1970~2000년
의 30년간 아프리카의 GDP 대비 원조액 비율과 1인당 소득
증가율은 반비례했다. 결국 서방의 원조는 아프리카의 가난
탈출에 도움이 되지 않았다.[26]

35억 명을 가난에서 탈출시킨 시장이 나머지 35억 명도 구할 수 있다는 것이 사회적 기업가의 믿음이다. 시장을 힘센 말에 비유하는 시각이 여기에서 나온다. 말이 주인을 다치게 했다면 그것은 말의 잘못이 아니라 말을 서툴게 다룬 주인의 잘못이다. 시장이 사회 문제를 유발한 것은 시장 자체의 문제가 아니라 시장의 주인인 사회가 시장을 제대로 이해하지 못했기 때문이다.

　　소셜 엔터프라이즈와 임팩트 투자는 사회적, 환경적 가치와 재무적 가치를 통합해 추구한다. 시장은 기업이 창출하는 사회적 가치를 모아서 재무적 가치라는 형태로 돌려주는 시스템이라고 할 수 있다.[27]

　　그러나 사업 모델이 가치 통합적이라고 해서 그 사업의 사회적 가치가 저절로 재무적 가치로 모아지는 것은 아니다. 시장에는 경쟁자가 있기 때문이다. 경쟁자의 아이디어나 기술, 시장 적용 능력이 나보다 뛰어나다면 내 사업에서 이익을 내기가 어렵다.

　　경쟁에서 살아남기 위해 필요한 것이 혁신이다. 혁신은 아이디어나 기술을 시장에 적용하는 것이고, 시장에는 경쟁이 전제되어 있다. 시장 경쟁이 혁신을 만들어 낸다. 소액 대출 사업은 자조 그룹self help group 단위의 대출이라는 아이디어를 시장에 접목하는 혁신으로 다른 대부 업체들과의 경쟁에서 앞설 수 있었다.

비즈니스 아이디어와 기술의 혁신은 협력 업체, 경쟁 업체, 금융 투자 업체, 자본 시장 등 사회의 생태계를 거치며 복제, 확장되고, 일시 유행을 넘어 지속 가능해진다. 더 큰 규모의 통합 가치를 창출해 내면 비즈니스의 혁신이 사회 혁신으로 발전하는 것이다. 그리고 사고방식, 사회 관습, 법령, 사회 제도가 바뀐다. 사회는 그렇게 발전한다.

주

1 _ David Bornstein, 《How to Change the World》, 2003.

2 _ 아쇼카, www.ashoka.org.

3 _ David Bornstein, 《The Price of a Dream: The Story of the Grameen Bank》, 1996.

4 _ Roger Martin and Sally Osberg, 〈Social Entrepreneurship: The Case for Definition〉, Stanford Social Innovation Review, Spring 2007.

5 _ Paul Polak, 《Out of Poverty》, 2008.

6 _ Antony Bugg-Levine and Jed Emerson, 《Impact Investing: Transforming How We Make Money While Making a Difference》, 2011.

7 _ Jed Emerson and Project Team, 〈The Blended Value Map〉, Social Enterprise Initiative, Harvard Business School, 2003.

8 _ Michael Porter and Mark R. Kramer, 〈Creating Shared Value〉, 《Harvard Business Review》, 2011.

9 _ 〈Annual Impact Investor Survey〉, GIIN, 2018.

10 _ 〈Annual Review〉, Big Society Capital, 2017.

11 _ The SIB Group, 〈Annual Accounts〉, Social Investment Business Foundation, 2012, 2013.
The SIB Group, 〈Annual Report〉, Social Investment Business Foundation, 2017, 2018.

12 _ 소셜 파이낸스, www.socialfinance.org.uk.

13 _ SIB 데이터베이스, sibdatabase.socialfinance.org.uk.

14 _ CDFI펀드, www.cdfifund.gov/research-data/Pages/default.aspx.

15 _ 아큐먼, www.acumen.org.

16 _ Acumen, 〈Acumen Fund Concept: The Best Available Charitable Option〉, 2007.

17 _ 액시온, www.accion.org.

18 _ GSIA, 〈2016 Global Sustainable Investment Review〉, 2017.

19 _ Russell Sparkes, 《Socially Responsible Investment: A Global Revolution》, 2002.

20_ 마조리 켈리(제현주 譯), 《그들은 왜 회사의 주인이 되었나》, 북돋움, 2013.

21_ Antony Bugg-Levine and Jed Emerson, 같은 책.

22_ 임팩트스퀘어, 〈사회적 성과 평가 방법론의 글로벌 발전 동향 연구〉, 산업통상자
원부, 2013.

23_ Toniic, 〈SDGs-Impact Theme Framework V1.1〉, 2017.

24_ C. K. Prahalad, 《The Fortune at the Bottom of the Pyramid》, 2004.

25_ Glenn Hubbard and William Duggan, 《The Aid Trap: Hard Truths about Ending
Poverty》, 2009.

26_ William Easterly, 《The White Man's Burden: Why the West's Efforts to Aid the Rest
Have Done So Much Ill and So Little Good》, 2006.

27_ Geoffrey Heal, 《When Principles Pay: Corporate Social Responsibility and the
Bottom Line》, 2008.

북저널리즘 인사이드   자본과 시장과
                    사회의 미래

투자의 사전적 정의는 이익을 얻을 목적으로 생산 활동에 자본을 투입하는 행위다. 투자는 생산 활동에 관련되어 있다는 점에서 기회에만 주목하는 투기와 다르다. 투자의 본질은 이익 창출과 더불어 생산을 촉진해 경제를 활성화하는 통합적 가치에 있다.

저자인 아크 임팩트 자산 운용의 이철영 회장과 임창규 전무는 투자의 본질을 믿는 투자 전문가들이다. 수십 년간 투자 업계에서 일하면서 '좋은 일로 돈을 벌 수 있다'는 확신을 얻고 임팩트 투자에 뛰어들었다. 아크 임팩트는 한국 자본 시장 최초의 100퍼센트 임팩트 투자 자산 운용사다.

좋은 일이 어떻게 돈이 되는 걸까. 자기 이익을 먼저 생각하는 이기적 경제 주체가 타인과 공동체의 이익을 우선할 수 있을까. 이러한 의문에 두 저자는 이렇게 답한다. 세상을 바꾸는 혁신은 사회적, 재무적 수익을 모두 창출한다. 공동체의 이익과 나의 이익이 통합되는 시대가 열리고 있다.

저자가 소개하는 임팩트 투자의 사례들을 들여다보면 해답은 좀 더 명확해진다. 도시 슬럼가를 개발하고, 낙후 지역을 되살리는 일, 혁신적 스타트업 생태계를 구축하는 일 등 우리 사회에 필요한 사업이 모두 임팩트 투자의 대상이 된다. 낙후 지역 투자는 시장 개척인 동시에 지역 주민 삶의 질 개선 사업이다. 화석 에너지의 고갈과 환경 오염 문제가 지구를 위협하는 시점에 재생 에너지 개발에 투자한다면 환경을 개선하는 에너지 대책에 기여할 수 있다.

그래서 저자는 임팩트 투자를 투자의 미래라고 말한다. 미래의 투자는 사회적 수익, 임팩트를 기준으로 이뤄질 것이라고 전망한다. 임팩트 투자는 많은 종류의 투자 방식 가운데 하나가 아니라, 투자의 성격과 방향 자체를 바꾸는 새로운 패러다임이라는 것이다.

비즈니스로 세상을 바꾸고, 세상을 바꾸는 일로 비즈니스를 하는 시대, 불가능할 것 같은 이상적 시장이 열리고 있다. 우리는 지금 탐욕의 자본주의를 넘어 가치의 자본주의로 이행하는 문턱에 서 있는지도 모른다. 임팩트 투자에 뛰어든 투자 전문가들의 이야기는 자본의 미래, 시장의 미래는 물론 우리 사회의 미래를 내다보는 열쇠가 될 것이다.

김하나 에디터